VENTE DE LIVRES
BOOK SALE

Lily-Rose Lavigne

MONSTER HIGH

TOME I

Lisi Harrison

Traduit de l'anglais (États-Unis)
par Paola Appelius

CASTELMORE

Titre original : *Monster High*
Monster High ainsi que les marques et les logos afférents appartiennent à Mattel, Inc. et sont utilisés sous licence. © 2011 Mattel, Inc. Tous droits réservés.

© Bragelonne 2011, pour la présente traduction

Loi n° 49-956 du 16 juillet 1949 sur les publications destinées à la jeunesse

Design de couverture :
Ben Mautner – © 2010 Mattel, Inc.

Dépôt légal : mars 2011

ISBN : 978-2-36231-011-9

CASTELMORE
60-62, rue d'Hauteville – 75010 Paris
E-mail : info@castelmore.fr
Site Internet : www.castelmore.fr

*À Richard Abate : mon ami loyal et super agent,
avec qui j'ai partagé d'innombrables séances de mâchage de
chewing-gums et de remue-méninges. Merci un million de fois.*

SOMMAIRE

Prologue ∘ xi

PROLOGUE

Frankie Stein ouvrit les yeux en battant de ses cils épais. Des éclairs blancs intermittents flashèrent devant ses globes oculaires comme elle essayait d'ajuster sa vision, mais ses paupières étaient trop lourdes pour qu'elle puisse les ouvrir entièrement. La pièce fut soudain plongée dans le noir.

—Son cortex cérébral est fonctionnel, déclara une voix d'homme au timbre grave empreinte d'un mélange de satisfaction et de lassitude.

—Est-ce qu'elle peut nous entendre? demanda une voix de femme.

—Elle peut entendre, voir, comprendre et identifier plus de quatre cents objets, répondit l'homme avec fierté. Je vais continuer à alimenter son cerveau et dans deux semaines elle disposera de l'intelligence et des capacités physiques d'une adolescente moyenne de quinze ans. (Il marqua une pause.) Bon, elle sera peut-être un peu plus intelligente que la moyenne, mais elle aura quinze ans.

— Oh! Viktor, c'est le plus beau jour de ma vie! (La femme renifla.) Elle est parfaite.

— Je sais. (L'homme renifla aussi.) La parfaite petite fille à son papa.

Ils déposèrent chacun leur tour un baiser sur le front de Frankie. Le premier sentait les produits chimiques, la seconde avait un parfum de fleurs. Ensemble, ils avaient l'odeur de l'amour.

Frankie tenta une nouvelle fois d'ouvrir les yeux, mais c'est à peine si elle put soulever les paupières.

— Elle a cligné des yeux! s'exclama la femme. Elle essaie de nous regarder! Frankie, je m'appelle Viveka. Je suis ta maman. Est-ce que tu me vois?

— Elle ne peut pas nous voir, dit Viktor.

Ces mots provoquèrent une crispation dans le corps de Frankie. Comment une personne extérieure pouvait-elle décréter ce qu'elle était capable de faire? Ça n'avait pas de sens.

— Pourquoi pas?

Sa mère semblait se poser les mêmes questions qu'elle.

— Ses batteries sont presque à plat. Elle a besoin d'être chargée.

— Eh bien, qu'est-ce que tu attends pour le faire!

Oui, charge-moi! Charge-moi! Charge-moi!

Plus que tout, Frankie avait envie de voir les quatre cents objets que son père avait mentionnés. Elle voulait voir le visage de ses parents quand ils nommeraient chacun d'eux de leur voix aimante. Elle voulait s'éveiller à la vie pour explorer le monde dans lequel elle venait de naître. Mais elle ne pouvait pas bouger.

—Je ne peux pas la charger tant que ses boulons ne sont pas en place, expliqua son père.

Viveka se mit à pleurer doucement, et ce n'était plus de joie.

—Ne t'en fais pas, ma chérie, la consola Viktor. Dans quelques heures, elle sera définitivement stable.

—Ce n'est pas pour ça que je pleure.

Viveka renifla bruyamment.

—Qu'est-ce qu'il y a alors?

—Elle est si belle et si pleine de promesses et… (Elle renifla de nouveau.) Ça me fend le cœur de savoir qu'elle devra vivre… tu sais bien… comme nous.

—Qu'est-ce qu'il y a de mal à vivre comme nous? demanda-t-il.

Quelque chose dans sa voix laissait entendre qu'il connaissait la réponse.

Elle rit nerveusement.

—Tu me fais marcher, c'est ça?

—Viv, les choses ne seront pas toujours ce qu'elles sont aujourd'hui, déclara Viktor. Les temps changent. Tu verras.

—Je verrai quoi? Qui changera les choses?

—Je ne sais pas. Quelqu'un… finira bien par le faire.

—Eh bien, j'espère que nous serons toujours vivants pour voir ça, dit-elle en soupirant.

—Ne t'inquiète pas, dit Viktor sur un ton rassurant. Nous, les Stein, avons de longues vies.

Viveka gloussa doucement.

Frankie mourait d'envie de savoir en quoi les «temps» avaient besoin de «changer». Mais l'idée même de poser la question devint inconcevable: ses batteries s'épuisaient. Se sentant à la fois prise de vertiges et plombée par un poids impossible, Frankie sombra plus profondément encore dans les ténèbres, en un lieu où les voix de ceux qui l'entouraient ne lui parvenaient plus. Elle avait oublié leur conversation et l'odeur de fleurs et de produits chimiques de leur peau.

Frankie pouvait seulement espérer que les choses que Viveka voulait voir de son vivant seraient là à son réveil. Et, si ce n'était pas le cas, qu'elle aurait la force d'aller les chercher elle-même pour Viveka.

CHAPITRE 1

NOUVEAU NEZ, NOUVELLE VIE

Le trajet de quatorze heures depuis Beverly Hills en Californie jusqu'à Salem dans l'Oregon avait été digne d'un séjour dans le camp de détention de Guantánamo. Le voyage en auto s'était transformé en autopunition moins de une minute après le départ et elle en avait pris pour mille cinq cents kilomètres. La seule solution que Mélodie Carver avait trouvée pour y échapper consistait à faire semblant de dormir.

— Bienvenue dans l'hOrreuregon, marmonna sa sœur aînée comme ils traversaient la frontière de l'État de l'Oregon. Je devrais plutôt dire CraignOregon ? Que dites-vous de Cro-MagnOregon ? Ou bien…

— Ça suffit, Candace ! lui ordonna sèchement son père depuis le siège conducteur de leur 4 x 4 BMW flambant neuf.

Il l'avait choisi vert, et pour la carrosserie et pour la consommation d'essence, pour bien montrer leur volonté d'ouverture aux habitants de Salem et prouver que la famille de Beau et Glory Carver n'était pas qu'un transplant sublime et friqué de Beverly Hills.

Les trente-six cantines remplies de kayaks, de planches à voile, de cannes à pêche, de gourdes, de DVD sur la dégustation du vin, de mélanges de fruits secs bio, de matériel de camping, de pièges à ours, de talkies-walkies, de crampons d'escalade, de pics à glace, de marteaux et de hachettes à bois, de skis, de bottes, de perches, de snowboards, de casques, de vêtements d'extérieur Burton et de sous-vêtements en flanelle qu'ils avaient fait expédier par UPS n'étaient que quelques exemples supplémentaires de leur détermination.

Mais Candace reprit ses jérémiades de plus belle quand la pluie se mit à tomber.

— Ahhhh! le mois d'août dans le gOregon! soupira-t-elle. C'est pas trop top? (Là, normalement, Candace levait les yeux au ciel. Mélodie n'avait pas besoin de la regarder pour le voir, mais elle jeta quand même un rapide coup d'œil à travers ses paupières mi-closes pour être sûre.) Beurk! (Dégoûtée, Candace donna un coup de pied dans le dossier du siège de sa mère, avant de se moucher et de balancer son Kleenex sur l'épaule de sa sœur. Le rythme cardiaque de Mélodie grimpa en flèche, mais elle réussit à ne pas bouger. C'était plus facile que de se battre avec Candace.) Je ne vois pas pourquoi on doit déménager, poursuivit Candace. Mélodie respire l'air pollué de Los Angeles depuis quinze ans et elle y a survécu jusqu'ici. C'est pas une année de plus qui va la tuer. Elle n'a qu'à porter un masque. Tout le monde le signerait, comme un plâtre. Ça inspirerait peut-être même une gamme d'accessoires pour asthmatiques. Genre des inhalateurs à porter en sautoir et…

—Assez, Candi, soupira Glory, manifestement lassée de ce débat qui durait depuis un mois.

—Mais, l'année prochaine, j'entrerai à l'université, insista Candace, qui avait l'habitude d'avoir le dernier mot. (Elle était blonde, parfaitement proportionnée et obtenait toujours ce qu'elle voulait.) Vous n'auriez pas pu attendre un an pour déménager?

—Ce déménagement nous sera profitable à tous. Ce n'est pas seulement à cause de l'asthme de ta sœur. Merston High est l'une des meilleures écoles de l'Oregon, et c'est aussi pour nous rapprocher de la nature et nous éloigner de la superficialité de Beverly Hills.

Mélodie sourit intérieurement. Son père, Beau, était un chirurgien esthétique réputé, et sa mère était styliste pour les stars. La superficialité était leur maîtresse. Ils étaient ses zombies. Mélodie n'en appréciait pas moins les efforts déployés par sa mère pour empêcher Candace de rejeter la faute sur elle. Même si, en réalité, c'était bien à cause d'elle qu'ils déménageaient.

Au sein d'une famille d'êtres humains génétiquement parfaits, Mélodie Carver était une anomalie. Un mouton noir. Une excentrique. Elle ne rentrait pas dans le moule.

Malgré ses origines cent pour cent californiennes, Beau avait été doté par dame nature d'une beauté à l'italienne. Ses yeux de velours noirs étaient comme un lac sombre éclairé par le soleil et son sourire aussi chaud que le cachemire. Son teint naturellement mat et un chouïa d'autobronzant lui avaient permis, à quarante-six ans, de conserver une peau de bébé.

Le bon dosage entre une barbe de trois jours et des cheveux coiffés au gel lui avait attiré une clientèle dont la moitié était des hommes. Il était une publicité vivante pour son boulot de chirurgien et, quand ils enlevaient leurs pansements, les hommes comme les femmes espéraient avoir l'air aussi jeunes que… Beau.

Glory avait quarante-deux ans mais, grâce à son mari, elle avait bénéficié d'un lifting préventif de sa peau sans défaut bien avant d'en avoir besoin. Devançant haut la main (parfaitement manucurée) la courbe du développement humain ordinaire, elle avait atteint un nouveau stade de l'évolution défiant les lois de la gravité, et avait cessé de vieillir à l'âge de trente-quatre ans. Avec des cheveux auburn tombant sur ses épaules, des yeux aigue-marine et des lèvres naturellement pleines qui n'avaient nul besoin de collagène, Glory aurait pu être mannequin, si elle avait été plus grande. C'est ce que tout le monde disait. Mais elle jurait ses grands dieux qu'elle aurait embrassé la carrière de styliste même si Beau lui avait allongé les tibias.

Candace, la chanceuse, était un beau mélange de ses deux parents. Telle une prédatrice alpha, elle s'était octroyé les meilleurs gènes, ne laissant que les restes pour le rejeton qui viendrait après elle dans la lignée. La petite taille qu'elle avait héritée de Glory avait certes mis un frein à sa carrière de mannequin, mais lui avait permis d'hériter de la garde-robe de sa mère, qui regorgeait d'un assortiment de pièces de marques allant de Gap à Gucci (mais surtout Gucci). Elle avait les yeux bleu-vert de sa mère, rehaussés de l'éclat de velours de son père, le teint hâlé de Beau et le grain de peau photoshopé de Glory sur des pommettes aussi saillantes que des balustres de marbre. Pour couronner le tout, ses longs cheveux, qui supportaient aussi bien le lissage que les ondulations, avaient la couleur du beurre blond dans lequel on aurait versé des filaments de sucre caramélisé. Les amies de Candi (et leurs mères) prenaient des photos de sa mâchoire carrée, de son menton volontaire ou de son nez rectiligne pour les donner à Beau dans l'espoir que ses mains accompliraient les mêmes miracles que ses gènes. Et il faisait, bien sûr, toujours des merveilles.

Y compris sur Mélodie elle-même.

Convaincue que ses parents s'étaient trompé de bébé en rentrant de la maternité, Mélodie n'accordait que peu de valeur à l'apparence physique. Pourquoi l'aurait-elle fait ? Elle avait le menton fuyant, des dents irrégulières et des cheveux noir corbeau. Aucun reflet. Aucun relief. Ni mèches blondes ou caramel. Rien qu'un noir mat et uniforme. Des yeux gris acier, parfaitement fonctionnels mais étroits et rapprochés, lui donnaient l'air d'un chat sceptique. Si quelqu'un les avait regardés… Parce que c'était son nez qui était le centre de l'attention. Affligé de deux bosses, long et pointu, il évoquait un chameau posé sur le museau d'un chien vu en plongée.

Mais elle s'en moquait. Pour Mélodie, sa voix de soprano était son plus bel atout. Ses professeurs de musique s'étaient tous extasiés sur sa tessiture au timbre parfait. Claire, angélique, obsédante, sa voix envoûtait tous ceux qui l'entendaient et le public, en larmes, finissait debout à chaque récital. Malheureusement pour elle, à l'âge de huit ans, son asthme était entré en scène et lui avait volé la vedette.

Quand elle était entrée au collège, Beau avait proposé de l'opérer, mais Mélodie avait refusé. Un nouveau nez ne guérirait pas son asthme, alors à quoi bon? Elle n'avait qu'à serrer les dents jusqu'au lycée et les choses s'arrangeraient. Les filles seraient moins superficielles, les garçons plus mûrs. Et ils ne penseraient tous qu'à étudier pour entrer à l'université.

Ha!

Elle avait vite déchanté en arrivant au lycée de Beverly Hills. Les filles l'appelaient Nélodie à cause de son grand nez… et les garçons ne l'appelaient jamais. Ils ne la regardaient même pas. À Thanksgiving, elle était devenue pratiquement transparente. Sans sa respiration sifflante et le «pschitt» omniprésent de son inhalateur, personne n'aurait su qu'elle existait.

Beau ne pouvait plus supporter de voir sa fille – et son «potentiel de symétrie» – souffrir plus longtemps. À Noël, il avait dit à Mélodie que le Père Noël avait approuvé une nouvelle technique de rhinoplastie qui dégageait les voies aériennes supérieures et soulageait l'asthme. Elle serait peut-être même capable de chanter de nouveau.

—C'est merveilleux!

Glory avait joint ses mains fines en levant les yeux vers le ciel pour exprimer sa gratitude.

—Adieu Rodolphe, le renne au gros nez rouge, avait rigolé Candace.

—C'est pour sa santé, pas pour l'esthétique, Candace, l'avait réprimandée Beau, désireux de composer avec Mélodie.

—Ouah! C'est trop génial!

Mélodie s'était jetée dans les bras de son père pour lui montrer sa gratitude, même si elle doutait un peu qu'un gros nez ait un rapport quelconque avec la constriction des bronches. Mais elle se prit à espérer un peu en faisant semblant de croire à son explication, et c'était plus facile que d'avoir à admettre que sa famille avait honte de son visage.

Beau opéra donc Mélodie pendant les vacances de Noël. Elle se réveilla avec le petit nez mutin de Jessica Biel et des facettes en céramique sur ses dents de vampire. À la fin de sa convalescence, elle avait perdu trois kilos et gagné un accès aux vêtements de marque de sa mère allant de Gap à Gucci (mais surtout Gucci). Malheureusement, elle ne pouvait toujours pas chanter.

De retour au lycée de Beverly Hills, les filles se montrèrent accueillantes, les garçons la regardaient avec des yeux ronds et même les colibris semblaient voler plus près. Elle découvrit un degré d'acceptation dépassant tout ce qu'elle avait pu rêver.

Mais ce nouvel état de grâce ne trouva pas grâce à ses yeux. Au lieu de se pavaner avec son nouveau nez et de s'intéresser aux garçons, Mélodie passa tout son temps libre sous sa couette, se sentant comme le sac Tory Burch en cuir métallisé de sa sœur : superbement brillant à l'extérieur et d'un fouillis indescriptible à l'intérieur. *Comment osent-ils être gentils avec moi juste parce que je suis devenue jolie ! En réalité, je n'ai pas changé !*

Aux vacances d'été, Mélodie s'était complètement repliée sur elle-même. Elle s'habillait de vêtements informes, ne se brossait pas les cheveux et son seul accessoire était l'inhalateur accroché à la boucle de sa ceinture.

Au cours du barbecue annuel que les Carver organisaient pour le 4 Juillet (à l'occasion duquel elle chantait autrefois l'hymne national), Mélodie fut victime d'une crise d'asthme particulièrement aiguë qui la conduisit tout droit à l'hôpital Cedars-Sinaï. Dans la salle d'attente, Glory avait feuilleté avec nervosité un magazine touristique et était tombée en arrêt devant un paysage de l'Oregon. Elle avait déclaré respirer le bon air rien qu'à regarder cette nature luxuriante. Quand Mélodie sortit de l'hôpital, ses parents lui annoncèrent que la famille déménageait. Et, pour la première fois, un sourire avait éclairé son visage parfaitement symétrique.

Salut, j'adOregon ! songea-t-elle en son for intérieur comme la BMW verte avançait sur la route.

Alors, bercée par le bruissement régulier des essuie-glaces sur le pare-brise et le tambourinement de la pluie, Mélodie sombra dans le sommeil.

Cette fois pour de bon.

CHAPITRE 2

IL Y A DE L'ÉLECTRICITÉ DANS L'AIR

Le soleil finit enfin par montrer le bout de son nez. Les merles et les moineaux entonnèrent leur playlist matinale. Sous les fenêtres en verre dépoli de Frankie, les premiers coups de sonnette des vélos d'enfants retentirent dans l'impasse de Radcliffe Way. Les voisins avaient entamé leur journée et elle put enfin envoyer la musique.

I can see myself in the movies, with my picture in the city lights...

Frankie mourait d'envie de balancer la tête en rythme sur le tube de Lady Gaga. Non, ce n'était pas tout à fait exact. Ce que Frankie mourait vraiment d'envie de faire, c'était de bondir sur son lit métallique, d'envoyer valdinguer d'un coup de pied ses couvertures électromagnétiques doublées de polaire sur le béton ciré, de fouetter l'air de ses cheveux, d'agiter les bras, de tortiller du popotin et de balancer la tête en rythme sur *The Fame*. Mais l'interruption du flux électrique avant le chargement complet de ses batteries pouvait occasionner des pertes de mémoire, des évanouissements, voire un coma. Le bon côté des choses, c'est qu'elle n'avait jamais besoin de recharger son iPod Touch. Tant qu'il était à proximité du corps de Frankie, il avait plus de jus qu'un Tropicana.

Allongée sur le dos, elle s'abandonna avec délice à son infusion matinale, un enchevêtrement de câbles électriques rouges et noirs reliés par des électrodes aux boulons qui saillaient de chaque côté de son cou. Tandis que les dernières impulsions électriques ricochaient à travers son corps, elle parcourut le dernier numéro de *Muteen*. Du bout des doigts, pour ne pas abîmer son vernis à ongles Dark Denim en train de sécher, elle feuilleta la revue, cherchant les rivets métalliques qui auraient dû se trouver sur le cou des mannequins à la drôle de couleur, se demandant comment elles faisaient pour se charger.

Dès que Carmen Electra (c'était le petit nom qu'elle avait donné à son ampératrice parce que son nom technique était trop difficile à prononcer) eut fini de charger, Frankie se délecta du délicieux fourmillement dans ses contacts cervicaux, de la taille d'un dé à coudre, qui commençaient à refroidir. Gonflée à bloc, elle plongea son petit nez mutin dans les pages du magazine et respira une grande bouffée de l'échantillon du parfum Miss Dior Chérie qu'il contenait.

— Vous aimez ? demanda-t-elle en agitant le magazine sous le nez des Glitterati.

Cinq souris blanches se dressèrent sur leurs petites pattes roses en griffant la paroi de verre de leur cage. Un tourbillon de paillettes multicolores non toxique s'envola de leur dos comme de la neige d'un store.

Frankie inspira encore un coup la fragrance.

—Moi, j'adore.

Elle agita le papier froissé dans l'air froid aux senteurs de formol avant de se lever pour allumer ses bougies parfumées à la vanille. L'odeur chimique acide de la solution s'infiltrait dans ses cheveux, prenant le pas sur les notes florales de son après-shampoing Pantène.

—C'est bien une odeur de vanille que je sens d'ici? demanda son père en frappant un petit coup sec contre la porte close.

Frankie éteignit la musique.

—Ouiii! roucoula-t-elle en faisant abstraction du ton faussement agacé de son père – il employait ce ton de reproche depuis que Frankie avait transformé son laboratoire en « Glamoratoire ». Il avait commencé à parler ainsi quand elle avait décidé d'habiller de paillettes ses rats de laboratoire, de ranger ses gloss à lèvres et ses accessoires de coiffure dans les tubes à essai et de coller la photo de Justin Bieber sur le squelette (*parce que ce poster de lui, assis sur son skate, est hyper voltage*). Mais elle savait que son père n'était pas vraiment fâché. C'était aussi sa chambre, désormais. Et puis, s'il avait été réellement contrarié, il ne l'appellerait pas…

—Comment va la parfaite petite fille à son papa?

Viktor Stein frappa de nouveau à la porte avant de l'ouvrir et d'entrer dans la pièce, la mère de Frankie sur ses talons.

Il tenait à la main un sac polochon en cuir et portait un survêtement Adidas noir et ses vieux chaussons UGG marron préférés, ceux qui étaient troués au gros orteil.

« Ils sont vieux et usés, et c'est pour ça que je les aime, exactement comme Viv », avait-il l'habitude de dire quand Frankie le charriait sur ses vieux chaussons, et sa femme ne manquait jamais de lui donner une tape sur le bras.

Mais Frankie savait que c'était une plaisanterie, parce que Viveka était le genre de femme qu'on aurait aimé voir en photo dans un magazine, pour reluquer ses yeux violets et ses cheveux d'un noir lustré sans avoir l'air d'un pervers.

Son père, en revanche, avait un petit côté Arnold Schwarzenegger, comme si sa peau aux traits taillés au burin avait été tirée pour recouvrir son front carré. Les gens devaient aussi avoir envie de le lorgner, mais son mètre quatre-vingt-douze et ses sourcils super froncés les en dissuadaient. Pourtant, ce n'était pas à cause de son caractère irascible qu'il faisait la grimace, mais parce qu'il réfléchissait. Et comme c'était un savant fou, il réfléchissait tout le temps… C'était du moins l'explication que donnait Viveka.

— Est-ce qu'on peut te dire un mot, chérie ? demanda Viveka d'une voix musicale, à l'unisson du froufrou de l'ourlet de sa robe bain de soleil en crêpe noir.

Elle avait une voix fragile et délicate très surprenante venant d'une femme mesurant un mètre quatre-vingts.

Viv et Vik s'avancèrent sur le béton ciré en se tenant la main, offrant comme toujours un front uni. Mais, cette fois, leurs sourires pleins de fierté cachaient une pointe d'inquiétude.

—Assieds-toi, ma chérie.

Viveka désigna de la main la banquette rouge flashy recouverte de coussins que Frankie avait achetée en ligne chez Ikea. Au fond du Glamoratoire, à côté de son bureau tapissé d'autocollants, de sa télé à écran plat Sony et des penderies multicolores regorgeant de vêtements achetés sur le Net, la banquette faisait face à la seule fenêtre de la pièce. Même si elle était en verre dépoli pour plus d'intimité, elle offrait à Frankie un aperçu du monde réel – ou au moins sa promesse.

Frankie posa les pieds sur le tapis duveteux en peau de mouton rose qui séparait son lit de la banquette, redoutant que ses parents aient reçu les factures de ses derniers téléchargements iTunes. Anxieuse, elle tripota les délicats points de suture de couleur noire qui maintenaient sa tête en place.

—Ne tire pas sur tes fils, insista Viktor en se laissant tomber sur la banquette, dont la structure en bouleau protesta sous son poids. Tu n'as aucune raison d'être nerveuse, nous voulons juste te parler.

Il posa le sac de cuir à ses pieds.

Viveka tapota le coussin libre à côté d'elle, avant de faire jouer ses propres doigts dans le foulard de mousseline noire qu'elle portait toujours autour du cou. Frankie, craignant un sermon sur la valeur de l'argent, rajusta autour d'elle le tissu noir et soyeux de son peignoir Harajuku Lovers et préféra s'asseoir sur la descente de lit rose.

—Qu'est-ce qu'il y a? demanda-t-elle en souriant, tâchant de ne pas avoir l'air d'une fille qui vient de claquer

59,99 dollars pour le téléchargement de la dernière saison de *Gossip Girl*.

—Il y a du changement dans l'air.

Viktor frotta ses mains l'une contre l'autre en prenant une profonde inspiration, comme s'il s'apprêtait à s'attaquer à la face nord de l'Everest.

Privée de cartes de crédit ? supputa Frankie avec appréhension.

Viveka hocha la tête et s'obligea à sourire, ses lèvres peintes d'un violet foncé fermement pincées. Elle se tourna vers son mari, le pressant de continuer, mais il ouvrit tout grands ses yeux sombres pour lui signifier qu'il ne savait pas quoi dire.

Frankie changea de position sur le tapis, soudain mal à l'aise. Elle n'avait jamais vu ses parents aussi en peine de trouver leurs mots. Elle visualisa mentalement, en accéléré, la liste de ses derniers achats, tâchant d'identifier celui qui avait fait déborder la coupe. *L'abonnement pour la saison de* Gossip Girl *; un parfum d'intérieur à la fleur d'oranger ; des jambières rayées Hot Sox avec des trous pour les orteils comme des mitaines ; des abonnements à* Closer, Muteen, Teen Vogue *et* CosmoGirl *; une application horoscope pour son iPhone ; une application numérologie ; une application pour l'interprétation des rêves ; un shampoing lissant-défrisant à l'huile d'argan Morocanoil ; un jean* boyfriend *Current/Elliott…*

Rien de bien terrible. L'appréhension fit pourtant jaillir des étincelles de ses boulons cervicaux.

—Détends-toi, ma chérie.

Viveka se pencha en avant pour caresser les longs cheveux noirs de Frankie. Le geste apaisant de sa mère enraya la fuite d'énergie, mais n'empêcha pas le ventre de Frankie de gargouiller et de chuinter comme un feu d'artifice du 4 Juillet. Ses parents étaient les seules personnes qu'elle connaissait. Ils étaient ses meilleurs amis et ses mentors. Les décevoir équivalait pour elle à décevoir le monde entier.

Viktor inspira encore une fois à fond, et déclara d'une traite :

— L'été est fini. Ta mère et moi devons reprendre nos cours de sciences et d'anatomie à l'université. Nous ne pouvons plus nous occuper de ton instruction à la maison.

Il agitait le pied avec nervosité.

— Hein ?

Frankie fronça ses sourcils parfaitement dessinés. *Quel rapport avec mes dépenses ?*

Viveka posa une main sur le genou de Viktor pour lui signifier qu'elle allait prendre le relais et s'éclaircit la voix.

— Ce que ton père essaie de dire, c'est que tu as maintenant quinze jours. Pour chacun de ces jours, il a implanté dans ton cerveau l'équivalent d'une année d'apprentissage : maths, sciences, histoire, géographie, langues étrangères, technologie, arts plastiques, musique, cinéma, chant, dernières tendances, expressions en vogue, conventions sociales, bonnes manières, profondeur émotionnelle, maturité, discipline, libre arbitre, coordination musculaire, coordination du discours, reconnaissance sensorielle, perception de la profondeur, ambition et même modération de l'appétit. Tu possèdes tout cela ! (Frankie acquiesça, se demandant quand ils allaient en venir à ses achats.) Tu es une belle adolescente intelligente, et tu es prête pour...

Viveka essuya une larme. Elle lança un regard à Viktor, qui hocha la tête, la pressant de poursuivre. Elle s'humecta les lèvres en soupirant et réussit à afficher un sourire forcé…

Frankie lâcha quelques étincelles. C'était encore plus long qu'une livraison par voie terrestre.

—Pour aller à l'école des normies, finit par lâcher Viveka.

Elle avait dit « normies » ?

—Qu'est-ce que ça veut dire, « normie » ? demanda Frankie, craignant d'avance la réponse.

Un programme de désintoxication pour acheteurs compulsifs ?

—Un normie est une personne aux caractéristiques physiques normales, expliqua Viktor.

—Comme… (Viveka prit un numéro de *Teen Vogue* sur la table de chevet laquée orange de Frankie et ouvrit une page au hasard.) Comme elles.

Elle était tombée sur une pub H & M montrant trois filles en soutiens-gorge et petites culottes sexy – une blonde, une brune et une rousse. Elles avaient toutes les trois les cheveux bouclés.

—Est-ce que je suis une normie ? demanda Frankie, se sentant tout à fait à la hauteur des trois mannequins souriants.

Viveka secoua la tête de gauche à droite.

—Pourquoi ? Parce que j'ai les cheveux raides ? questionna Frankie.

Cette leçon-là était très déroutante.

—Non, ce n'est pas parce que tu as les cheveux raides, répondit Viktor avec un petit sourire suffisant un peu contrarié. C'est parce que je t'ai fabriquée.

—Est-ce que les autres parents ne «fabriquent» pas eux aussi leurs enfants? (Frankie avait tracé des guillemets dans l'air.) Tu vois ce que je veux dire, techniquement parlant.

Viveka haussa un sourcil charbonneux. Sa fille marquait un point.

—Oui, mais moi je t'ai fabriquée au sens propre, explicita Viktor. Dans ce laboratoire, avec des segments corporels parfaits construits de mes propres mains. J'ai programmé ton cerveau en l'alimentant de toutes sortes de données, j'ai cousu tes membres et ta tête sur ton corps et j'ai mis des boulons sur ton cou pour pouvoir te charger. Tu n'as pas vraiment besoin de te nourrir, à part des plaisirs de la vie. Frankie, il n'y a pas de sang dans ton corps, et c'est pour ça que ta peau est… verte.

Frankie regarda ses mains comme si elle les voyait pour la première fois. Elles avaient une jolie couleur menthe à l'eau, comme tout le reste de son corps.

—Je le sais bien, gloussa-t-elle. C'est trop voltage!

—Oui, bien sûr. (Viktor rit doucement.) C'est pour ça que tu es tellement spéciale. Aucun des autres élèves de ta nouvelle école n'a été fabriqué comme toi. Tu es unique.

—Tu veux dire qu'il y aura d'autres gens que moi dans ma nouvelle école?

Frankie embrassa du regard le Glamoratoire, le seul endroit qu'elle connaisse vraiment.

Viktor et Viveka hochèrent la tête, le front plissé par la culpabilité et une vive inquiétude.

Frankie fouilla du regard leurs yeux humides, se demandant si elle ne rêvait pas. Allaient-ils vraiment la lâcher dans la nature? L'abandonner dans une école pleine de normies aux cheveux bouclés et la laisser se débrouiller toute seule? Auraient-ils réellement le cœur à laisser tomber son éducation pour donner leurs conférences devant des amphis remplis de parfaits étrangers?

En dépit de leurs lèvres qui tremblaient et de leurs joues baignées de larmes, il semblait que la réponse était «oui». Soudain, Frankie fut ébranlée par un sentiment dont la violence ne pouvait se mesurer que sur l'échelle de Richter. La réaction partit de son ventre, remonta dans sa poitrine, accéléra dans sa gorge et explosa quand un seul mot sortit de sa bouche:

—VOLTAGE!

CHAPITRE 3

CHERCHER LE GARÇON

— On est arrivés! annonça Beau en klaxonnant à plusieurs reprises. Debout là-dedans!

Mélodie décolla son oreille de la vitre froide et ouvrit les yeux. À première vue, le paysage semblait recouvert de coton. Mais sa vision devint plus nette, comme un Polaroïd qui se révèle, au fur et à mesure que ses yeux s'accommodaient à la lumière voilée du petit matin.

Deux camions de déménagement bloquaient l'accès à l'allée privée circulaire et empêchaient de voir la maison. Tout ce que Mélodie put distinguer fut la moitié d'un porche panoramique et la balancelle qui allait avec, comme ces maisons de poupée en rondins, mais grandeur nature, une image qui se grava dans sa mémoire. À moins que ce soient les émotions que cette image avait suscitées en elle: espoir, excitation et peur de l'inconnu, toutes trois intimement mêlées pour créer un quatrième sentiment indéfinissable. Mélodie avait droit à une seconde chance, et cela lui chatouillait l'estomac comme si elle avait avalé cinquante chenilles processionnaires.

« Tut-tut-tut-tutut-tutut-tuuuuuut ! »

Un montagnard baraqué vêtu d'un jean baggy et d'un gilet de bûcheron molletonné marron Carhartt leur fit un signe de tête tout en extirpant du camion le canapé d'angle Calvin Klein couleur aubergine des Carver.

—Arrête de klaxonner, chéri. Il est encore tôt ! dit Glory en donnant une tape joueuse à son mari. Les voisins vont nous prendre pour des fous.

L'odeur de café oxydé et de carton des tasses à emporter souleva l'estomac vide de Mélodie.

—Ouais, papa, *stop !* gémit Candace sans lever la tête de son sac Tory Burch en cuir métallisé qui lui servait d'oreiller. Tu vas réveiller la seule personne hypra-méga-cool de Salem.

Beau déboucla sa ceinture de sécurité et se tourna pour regarder sa fille.

—De qui est-ce que tu parles ?

—De moi, bien sûr.

Candace s'étira, sa poitrine moulée dans un débardeur bleu ciel se soulevant et s'abaissant comme une bouée sur la mer agitée. Elle avait dû s'endormir sur son poing serré de colère, et sa joue portait l'empreinte de sa nouvelle bague en forme de cœur – celle que ses meilleures amies lui avaient offerte, la larme à l'œil, en guise de cadeau d'adieu.

Désireuse d'éviter la torpille que Candace ne manquerait pas de lui expédier quand elle verrait la marque sur sa joue (« mes amies me manquent et c'est ta faute ! »), Mélodie fut la première à ouvrir sa portière et à poser le pied sur la chaussée.

La pluie avait cessé et le soleil était en train de se lever. Une nappe de brouillard d'un rouge tirant sur le violet enveloppait le paysage comme une mince écharpe fuchsia autour d'un abat-jour, embrasant Radcliffe Way d'une lueur magique. Humide et scintillant de rosée, le quartier sentait les vers de terre et l'herbe mouillée.

— Respire le bon air, Melly.

Beau plaqua ses mains sur ses poumons recouverts de flanelle et leva la tête pour rendre hommage au ciel *tie & dye*.

— Tu as raison. (Mélodie enlaça les abdos en béton de son père.) Je respire déjà mieux, l'assura-t-elle, en partie parce qu'elle voulait qu'il sache qu'elle appréciait son sacrifice, mais surtout parce que c'était la vérité.

Elle avait l'impression qu'on venait d'ôter le sac de sable qui lui pesait sur la poitrine.

— Faut absolument que tu viennes respirer ça, insista Beau en tapant sur la vitre de sa femme avec sa chevalière en or.

Glory leva un doigt agacé tout en penchant la tête vers Candace sur la banquette arrière pour lui montrer qu'elle avait d'autres chats à fouetter.

— Désolée.

Mélodie serra une nouvelle fois son père dans ses bras, plus doucement cette fois, comme pour s'excuser.

— De quoi ? C'est super ! (Il prit une longue et profonde inspiration.) Les Carver avaient besoin de changement. Nous avons fait le tour de Los Angeles et il est temps de nous lancer un nouveau défi. Dans la vie, il faut…

—Je préférerais être morte! hurla Candace à l'intérieur du 4x4.

—Je vous présente la seule personne hypra-méga-cool de Salem, marmonna Beau entre ses dents.

Mélodie regarda son père. À l'instant où leurs yeux se croisèrent, ils éclatèrent de rire.

—Très bien, qui est prêt pour le tour du propriétaire?

Glory ouvrit la portière et la pointe d'un pied chaussé d'une bottine de randonnée à talon ourlée de fourrure descendit timidement vers le trottoir comme pour tâter la température de l'eau d'un bain.

Candace jaillit de la banquette arrière.

—La première arrivée en haut aura la grande chambre! cria-t-elle en se précipitant vers la maison.

Ses jambes fines comme des allumettes, que n'entravait pas son jean *skinny* savamment lacéré et aussi moulant qu'une combinaison Speedo, s'activèrent à toute vitesse.

Mélodie lança à sa mère un regard médusé du style: «Comment as-tu pu faire ça?»

—Je lui ai dit qu'elle pourrait avoir ma combinaison Missoni vintage si elle arrêtait de râler pour le reste de la journée, confessa Glory en rassemblant ses cheveux auburn en une élégante queue-de-cheval qu'elle noua en un tour de main.

—Avec ce genre de promesses, il ne te restera que tes chaussettes à la fin de la semaine, la taquina Beau.

—Ça vaudra encore le coup, répondit Glory en souriant.

Mélodie gloussa avant de filer elle aussi vers la maison. Elle savait que Candace arriverait dans la grande chambre avant elle, et elle ne courait pas pour rattraper sa sœur. Si elle le faisait, c'était parce que après des années de bataille avec ses poumons elle pouvait enfin respirer normalement.

Dépassant le camion des déménageurs, elle salua les hommes qui se démenaient avec le canapé d'un hochement de tête, puis grimpa d'un bond les trois marches du perron.

—J'y crois pas! hoqueta Mélodie en s'arrêtant sur le seuil de la spacieuse maison de bois.

Les murs étaient faits des mêmes rondins tirant sur l'orangé que la véranda, de même que les marches de l'escalier, la rampe, le plafond et la balustrade. Les seules dérogations à cette profusion de rondins étaient la cheminée de pierre et le parquet en noyer. Ce n'était pas précisément ce à quoi elle était habituée, après le tribut au design ultra-moderne qu'incarnait leur ancienne maison de plusieurs étages de verre et de béton. Mélodie devait reconnaître avec admiration que ses parents n'avaient pas fait les choses à moitié et s'étaient engagés à fond dans ce nouveau concept de vie au grand air.

—Attention devant, grommela un déménageur en nage qui tentait de négocier le passage de leur généreux canapé par l'étroite porte d'entrée.

—Oups! pardon, répondit Mélodie avec un rire nerveux en faisant un pas de côté.

Sur sa droite, une chambre rectangulaire occupait toute la longueur de la maison. Le gigantesque lit californien de Beau et Glory y trônait déjà, et la salle de bains adjacente était en pleins travaux. Un panneau coulissant en verre teinté s'ouvrait sur une piscine longue et étroite entourée d'un mur de rondins de deux mètres cinquante de haut. C'était sans aucun doute la piscine intérieure qui avait fait la différence pour Beau, qui avait l'habitude de nager chaque matin pour brûler les calories que les longueurs de la veille au soir pouvaient avoir oubliées.

Au premier étage, Candace arpentait le plancher de l'une des deux autres chambres en marmottant dans son téléphone.

En face de la chambre de ses parents se trouvait une cuisine-salle à manger confortable. Les appareils électroménagers aux lignes pures des Carver, la table de verre et les huit chaises en laque noire avaient l'air futuristes dans le décor rustique, mais Mélodie ne doutait pas une seconde que ce décalage serait corrigé dès que son père et sa mère auraient localisé l'agence de design la plus proche.

—Au secours! appela Candace depuis l'étage.

—Quoi? lui cria Mélodie en jetant un coup d'œil au séjour en contrebas donnant sur une ravine boisée à l'arrière de la maison.

—Je meurs!

—Pour de *vrai*?

Mélodie bondit comme un cabri dans la cage d'escalier de bois qui occupait le milieu du chalet. Elle adora le contact inégal des marches sous les semelles de ses Converse montantes noires. Chacune avait sa personnalité. Ici, pas de célébration de la symétrie, de la cohésion et de la perfection comme à Beverly Hills. C'était même tout l'inverse. Chaque rondin de la maison possédait un motif et une texture qui lui étaient propres.

Chacun était unique. Aucun n'était parfait. Ensemble, ils formaient cependant un tout. C'était peut-être un truc régional ? Peut-être que tous les Salemites (Salemiens ? Salemois ?) vouaient un culte à la diversité. Si c'était le cas, ce serait aussi valable pour les élèves de Merston High. Cette seule pensée l'emplit d'un regain d'espoir qui lui donna des ailes et, associé au soulagement de son asthme, la propulsa sur les marches de l'escalier, qu'elle monta quatre à quatre.

Arrivée en haut, Mélodie dézippa son sweat noir à capuche, qu'elle jeta sur la balustrade. Son tee-shirt Hanes gris affichait des auréoles sous les bras et la sueur perlait à son front.

— Je meurs de chaud. C'est une vraie fournaise ici. (Candace sortit de la chambre située sur la gauche vêtue d'un simple soutien-gorge noir et de son jean.) Il fait au moins cent degrés dans cette maison, ou c'est déjà la ménopause qui me guette ?

— Candi. (Mélodie lui fourra son sweat dans les mains.) Enfile ça !

— Pourquoi ? s'étonna Candace en s'inspectant le nombril avec désinvolture. Les fenêtres ont des vitres teintées comme dans une limousine. Personne ne peut nous voir.

— Hum. Et les déménageurs ? répondit Mélodie d'un ton brusque.

Candace plaqua le sweat sur sa poitrine et jeta un coup d'œil par-dessus la balustrade.

— C'est trop ouf cet escalier en plein milieu, tu trouves pas ?

Le rouge de ses joues lui monta jusqu'aux yeux, donnant à ses prunelles aigue-marine un éclat iridescent.

— C'est toute la baraque qui est ouf, murmura Mélodie. Moi, elle me plaît.

— M'étonne pas. Elle est aussi ouf que toi.

Candace lança le sweat de Mélodie par-dessus la balustrade et regagna d'un pas nonchalant ce qui était sans aucun doute la plus grande chambre, une masse de cheveux blonds balayant son dos avec insolence comme pour dire au revoir.

— Quelqu'un a perdu son sweat ? appela un des déménageurs depuis le rez-de-chaussée.

Il avait jeté le vêtement en travers de son épaule comme un furet mort.

— Euh, oui. Désolée, répondit Mélodie. Vous n'avez qu'à le laisser sur les marches.

Elle se dépêcha de disparaître dans la dernière chambre libre afin qu'il ne s'imagine pas qu'elle le draguait.

Elle inspecta la petite pièce rectangulaire : des murs en rondins, un plafond bas creusé d'éraflures profondes qui ressemblaient à des marques de griffes, une fenêtre microscopique en verre teinté donnant sur le muret de pierre des voisins d'en face, un placard qui sentait le cèdre quand elle ouvrit la porte coulissante. Il devait bien faire dans les deux cents degrés dans cette chambre. Un agent immobilier sans vergogne l'aurait qualifiée de « douillette et chaleureuse ».

— Sympa ton cercueil, la taquina une Candace toujours en soutien-gorge depuis le pas de la porte.

— Bien tenté, répliqua Mélodie. Mais je n'ai toujours pas envie de rentrer en Californie.

—OK. (Candace leva les yeux au ciel.) Laisse-moi au moins me la péter un peu. Viens voir mon boudoir.

Mélodie suivit sa sœur ; elles dépassèrent une petite salle de bains et pénétrèrent dans une vaste pièce carrée inondée de lumière. Une alcôve dans le mur servait de bureau, il y avait trois grands placards et une immense baie vitrée en verre fumé à la vue dégagée dominait Radcliffe Way. Elles auraient pu partager cette chambre, et il y aurait encore eu assez de place pour loger l'*ego* de Candace.

—Très joli, marmonna Mélodie, tâchant de ne pas avoir l'air envieuse. Hé ! Tu veux faire un tour en ville pour acheter des bagels ? Je meurs de faim.

—Pas avant que tu aies admis que ma chambre est trop géniale et que tu es verte de jalousie.

—Même pas en rêve.

Candace se tourna vers la fenêtre en signe de protestation.

—Hum, tu vas peut-être changer d'avis.

Elle souffla sur la fenêtre pour former de la buée et y dessina un cœur.

Mélodie s'avança avec précaution.

—C'est un coup monté ?

—On peut appeler ça comme ça, répondit Candace en reluquant le garçon torse nu qui se trouvait dans le jardin de l'autre côté de la rue.

Il arrosait les rosiers jaunes qui ornaient le devant d'un petit pavillon aux murs blancs en brandissant son tuyau d'arrosage comme une épée. Les muscles fins de son dos se dessinaient à chaque coup d'estoc qu'il donnait. Son jean délavé était descendu juste ce qu'il fallait sur ses hanches pour dévoiler l'élastique de son caleçon rayé.

—À ton avis, c'est le jardinier ou il habite ici? demanda Mélodie.

—C'est le fils de la maison, répondit Candace, sûre d'elle. Si c'était un jardinier, il serait bronzé. Attache-moi ça.

—Quoi? (Mélodie se retourna et découvrit que sa sœur avait revêtu une combinaison Missoni dos nu aux rayures en zigzag dans des tons violet, noir et argent dont elle lui tendait les liens pour les attacher sur sa nuque.) D'où tu sors ça? demanda Mélodie en nouant une rosette parfaite. Les cartons de vêtements sont encore dans le camion.

—Je savais que maman me la donnerait pour que j'arrête de râler, alors je l'avais mise dans mon sac avant de partir.

—Alors, tout ton cirque dans la voiture, c'était du bluff?

Le cœur de Mélodie s'emballa.

—Plus ou moins. (Candace haussa les épaules avec indifférence.) Je peux me faire des copines et rencontrer des garçons n'importe où. En plus, il faut que je soigne mon bulletin si je veux aller dans une bonne université l'année prochaine, et on sait tous que ce n'est pas en faisant ma terminale en Californie que j'aurais eu de bonnes notes.

Mélodie ne savait plus si elle avait envie de serrer sa sœur dans ses bras ou de lui taper dessus. Mais elle n'eut pas le temps de se décider.

Candace avait enfilé une paire de sandales compensées argentées appartenant à Glory et avait déjà regagné la fenêtre.

—Prête à faire connaissance avec les nouveaux voisins ?

—Candace, ne fais pas ça, supplia Mélodie, mais sa sœur se débattait déjà avec le loquet métallique.

Essayer d'empêcher Candace de faire ce qu'elle voulait était aussi vain que de tenter d'arrêter un chariot lancé à pleine vitesse sur des montagnes russes en agitant les bras. C'était une pure perte de temps et d'énergie.

—Salut, beau gosse ! cria Candace par la fenêtre, avant de se cacher derrière le rebord. (Le garçon se retourna et regarda dans leur direction en s'abritant les yeux du soleil. Candace releva la tête pour jeter un coup d'œil par-dessus le rebord.) Non. J'en veux pas, marmonna-t-elle. Trop jeune. Bigleux. Blanc comme un cachet d'aspirine. Tu peux l'avoir.

Mélodie eut soudain envie de hurler : « Je n'ai pas besoin que tu me dises qui je peux avoir ou pas ! » Mais un garçon torse nu avec des lunettes cerclées de noir et des cheveux bruns en bataille la dévisageait. Elle ne put que lui rendre son regard en se demandant de quelle couleur étaient ses yeux.

Il agita la main d'un air gêné, mais Mélodie resta de marbre. Avec un peu de chance, il la prendrait pour une de ces silhouettes en carton qu'on voit dans les cinémas au lieu d'une fille mal à l'aise en société sur le point d'envoyer son poing dans le menton de sa sœur.

—Aïe ! gémit Candace en se tenant le menton.

Mélodie s'écarta de la fenêtre.

—J'arrive pas à croire que tu m'aies fait ça, parvint-elle à vociférer à mi-voix.

—Toi, tu n'aurais rien fait du tout, protesta Candace en ouvrant tout grands ses yeux bleu-vert, entraînée par sa propre force de conviction.

—Et pourquoi j'aurais dû faire quelque chose ? Je ne le connais même pas.

Mélodie se laissa tomber contre le mur de rondins irréguliers et s'enfouit le visage dans les mains.

—Qu'est-ce qu'il y a ?

—Il y a que j'en ai marre que les gens me prennent pour un monstre. Je sais que ce n'est pas ton problème, mais…

—Qu'est-ce que t'en as à faire ? (Candace se releva.) Nélodie, c'est fini. Maintenant, tu es canon. Tu peux avoir des mecs sexy. Des mecs bronzés qui n'ont pas besoin de lunettes. Et pas des geeks qui se battent en duel armé d'un tuyau d'arrosage. (Elle referma la fenêtre.) Tu n'as pas envie que tes lèvres servent à autre chose qu'à protéger tes facettes en céramique ?

Mélodie ressentit un picotement familier derrière ses paupières. Sa gorge devint sèche. Sa bouche trembla. Ses yeux la brûlèrent. Et elles débarquèrent. Comme autant de petits parachutistes au goût salé, les larmes dégringolèrent sur ses joues. Elle détestait que Candace puisse penser qu'elle n'était jamais sortie avec un garçon. Mais comment expliquer à une fille de dix-sept ans au tableau de chasse aussi fourni que les sourcils de Lourdes Leon que Randy, le caissier de Starbucks (alias Starbeurk à cause de ses cicatrices d'acné), embrassait super bien ? Ce n'était même pas la peine d'essayer.

—C'est pas si simple, d'accord ? (Mélodie garda son visage baigné de larmes dans ses mains.) Être canon, c'est peut-être ton rêve à toi, le mien c'était de chanter. Et je ne chanterai plus jamais.

—Alors vis mon rêve et sois canon. (Candace se badigeonna les lèvres de gloss.) Ce sera toujours plus amusant que de t'apitoyer sur ton sort.

Comment Mélodie aurait-elle pu expliquer à sa sœur ce qu'elle ressentait alors qu'elle le savait à peine elle-même?

—Mon visage est une imposture, Candace. Il a été rectifié. Ce n'est même pas moi. (Candace leva les yeux au ciel.) Qu'est-ce que tu éprouverais si tu obtenais un A à une interro en copiant sur ton voisin? demanda Mélodie, essayant de changer de tactique.

—Ça dépend, répondit Candace. Est-ce que je me suis fait prendre?

Mélodie releva la tête et éclata de rire. Une énorme bulle de morve éclata sous son nez, qu'elle essuya rapidement sur son jean avant que sa sœur puisse la voir.

—Tu te prends trop la tête. (Candace jeta son sac sur son épaule, puis un coup d'œil à son décolleté.) Jamais été si canon. (Elle tendit la main pour aider Mélodie à se relever.) Allons montrer aux bonnes gens de Salem la différence entre les fringues de bûcheron Carhartt et la haute couture. (Elle avisa le tee-shirt Hanes gris auréolé de sueur et le jean sans forme de Mélodie avant d'ajouter:) Tu me laisseras parler.

—Comme d'hab, soupira Mélodie.

CHAPITRE 4

EN VERT ET CONTRE TOUS

Frankie bondit sur ses pieds nus et se mit à danser au rythme de la chanson de Lady Gaga qu'elle avait toujours dans la tête.

— Tu es d'accord pour aller au lycée?

Les cils de Viveka, aussi noirs que des pattes d'araignée, papillonnèrent d'incrédulité.

— Et comment! (Frankie leva les bras au-dessus de sa tête et les fit tournoyer en claquant des doigts.) Je vais me faire des copines! rencontrer des garçons! aller à la cafète! Je vais pouvoir sortir et…

— Attends une minute, l'interrompit Viktor, sérieux comme la science. Ce n'est pas si simple.

— Tu as raison! (Frankie bondit comme un éclair vers sa penderie bleu ciel, celle qui portait les mots «jupes et robes» tagués à la bombe fuchsia.) Qu'est-ce que je vais mettre?

— Ça.

Viktor se pencha en avant, plaça le sac polochon en cuir devant elle et se recula précipitamment, comme s'il venait d'offrir une salade à un lion affamé.

Instantanément, Frankie modifia sa trajectoire et se rua sur le sac. C'était bien un truc de ses parents de lui offrir une tenue de rentrée. *Est-ce que c'est la mini plissée Bebe avec le top en cachemire noir? Oh! s'il vous plaît, faites que ce soit la mini plissée Bebe avec le top en cachemire noir. Siouplaît-siouplaît-siouplaît!*

Frankie ouvrit le sac et fourragea à l'intérieur, cherchant les brides toutes douces et l'épingle à nourrice géante fermant le kilt de ses rêves.

—Aïe! (Elle retira sa main du sac comme s'il l'avait mordue.) Qu'est-ce que c'est que ça? demanda-t-elle, encore ébranlée par le contact avec l'objet rugueux qu'il contenait.

—C'est un tailleur-pantalon en lainage pour que tu sois tirée à quatre épingles.

Viveka rassembla ses cheveux et les ramena sur le côté.

—À quatre épingles, tu l'as dit, riposta Frankie. Un vrai porc-épic!

—Il est très chic, insista Viveka. Essaie-le.

Frankie renversa le sac pour éviter de toucher le vêtement en toile émeri. Un grand coffret de maquillage chocolat dégringola sur le tapis.

—Et ça, c'est quoi?

—Du maquillage, annonça Viktor.

—De chez Sephora? demanda Frankie avec espoir, laissant à ses parents une chance de se rattraper.

— Non. (Viktor passa une main sur les marques de peigne dans ses cheveux gominés.) Ça vient de New York. C'est une ligne de maquillage de théâtre professionnel qui s'appelle Absolue Perfection. Elle a été conçue pour résister aux éclairages scéniques les plus puissants de Broadway. C'est un maquillage très couvrant, mais qui laisse respirer la peau.

Viktor sortit du sac un disque démaquillant préimprégné et en frotta son avant-bras. Le coton se couvrit d'une large traînée beige rosé. Une zone verte apparut sur le bras de Viktor.

Frankie en eut le souffle coupé.

— Tu as la peau verte toi aussi ?

— Et c'est pareil pour moi.

Viveka frotta sa joue pour laisser apparaître sa peau couleur menthe.

— Quoi ? (Des étincelles crépitèrent au bout des doigts de Frankie.) Vous avez toujours eu la peau verte ?

Ils hochèrent la tête avec fierté.

— Et je peux savoir pourquoi vous la cachez ?

— Parce que… (Viktor s'essuya le doigt sur la jambe de son survêtement.)… nous vivons dans le monde des normies. Et que beaucoup d'entre eux ont peur de ce qui est différent.

— Différent de quoi ? s'étonna Frankie à haute voix.

Viktor baissa les yeux.

— Différent d'eux.

— Nous appartenons à une communauté très spéciale. Nous sommes les descendants de ce que les normies appellent « les monstres », expliqua Viveka. Mais nous préférons nous donner le nom de RAD.

—Résistants à l'Apparence Dominante, précisa Viktor.

Frankie porta la main aux sutures de son cou.

—Ne tire pas sur tes fils! lui ordonnèrent ses parents de concert.

Frankie ramena sa main avec un soupir.

—Est-ce que ç'a toujours été comme ça?

—Pas toujours. (Viktor se leva et se mit à faire les cent pas.) Malheureusement, notre communauté, comme beaucoup d'autres, a connu des périodes de persécution au cours de son histoire. Mais nous avons fini par sortir des Âges sombres pour vivre ouvertement au milieu des normies. Nous travaillions ensemble, nous nous fréquentions et il y a même eu des mariages mixtes. Puis tout a basculé dans les années vingt et trente.

—Pourquoi ça?

Frankie se glissa sur la banquette et vint se pelotonner contre Viveka, cherchant le réconfort de l'odeur de gardénia de l'huile corporelle de sa mère.

—On a commencé à tourner des films d'horreur. Les RAD furent engagés pour jouer dans toutes sortes de productions comme *Dracula*, *Le Fantôme de l'Opéra*, *Docteur Jekyll et Mr. Hyde*. Et ceux qui ne savaient pas jouer…

—Comme ton grand-père Vic, l'interrompit Viveka d'un air taquin.

—Oui, comme ce cher vieux Victor Frankenstein. (Il eut un petit rire à l'évocation d'un souvenir.) Il n'arrivait pas à mémoriser son texte et, pour être honnête, il était un peu rigide. C'est donc un normie du nom de Boris Karloff qui a repris son rôle.

—Ça devait être sympa.

Frankie enroula son doigt autour de la ceinture soyeuse de son peignoir, songeant qu'elle aurait aimé vivre à cette époque.

—Ça l'était, oui. (Viktor cessa son va-et-vient et planta ses yeux dans ceux de sa fille, son sourire s'effaçant comme le soleil au crépuscule.) Jusqu'à ce que les films sortent en salles.

—Pourquoi ? demanda Frankie.

—Parce qu'ils ont fait de nous des créatures horribles et malfaisantes, des monstres buveurs de sang qui attaquaient les gens. (Viktor se remit à faire les cent pas.) Les enfants des normies se sont mis à hurler de terreur en nous voyant. Leurs parents cessèrent de nous inviter chez eux. Et plus personne ne voulait travailler avec nous. Nous sommes devenus des parias du jour au lendemain. Les RAD ont alors subi des actes de violence et de vandalisme. La vie que nous connaissions jusqu'alors s'est brutalement arrêtée.

—Personne n'a protesté ? demanda Frankie, pensant aux nombreuses guerres de l'histoire menées pour les mêmes raisons.

—Nous avons essayé. (Viktor secoua la tête, déplorant leur échec.) Les manifestations n'ont servi à rien. Elles se sont transformées en chasse à l'autographe pour les fans intrépides de ces films d'horreur. Et toute action plus musclée n'aurait fait que nous faire passer pour les bêtes furieuses dont les normies avaient peur.

—Qu'est-ce qui s'est passé, alors ?

Frankie se serra plus étroitement contre sa mère.

—L'état d'urgence fut décrété clandestinement, exhortant tous les RAD à quitter leur foyer et leur emploi pour se retrouver à Salem, la ville des sorcières. Ils espéraient que ces dernières prendraient fait et cause pour nous et nous accepteraient. Ensemble, nous aurions pu former une nouvelle communauté et prendre un nouveau départ.

—Mais je croyais que les sorcières avaient toutes disparu après le procès de Salem en, euh, 1692? Et ce dont tu parles se passait dans les années trente, non? questionna Frankie.

Viktor tapa une fois dans ses mains avant de pointer un doigt vers sa fille comme un animateur de jeu télévisé.

—C'est exact! la complimenta-t-il, très fier de ses connaissances académiques implantées.

Viveka déposa un baiser sur le front de Frankie.

—Dommage que le zombie sans cervelle qui a décrété l'état d'urgence n'ait pas été aussi intelligent que toi.

—Oui. (Viktor se lissa les cheveux.) Non seulement les sorcières avaient disparu depuis belle lurette, mais il s'est aussi trompé de Salem. Il avait en tête la ville de Salem dans le Massachusetts, mais a donné aux RAD les coordonnées de la ville de Salem dans l'Oregon. Tous les RAD ont fini par se rendre compte de son erreur, mais il était trop tard pour faire machine arrière. Ils devaient partir avant d'être pris dans les rafles et de croupir en prison. En arrivant dans l'Oregon, ils ont simplement décidé de faire avec. Ils ont mis leur argent en commun, se sont déguisés en normies, ont bâti Radcliffe Way et ont fait vœu de solidarité. Nous espérons que des temps viendront où nous pourrons de nouveau vivre à visage découvert, mais en attendant il est vital de nous fondre dans la population. S'ils se rendent compte de qui nous sommes, nous serons forcés à l'exil une fois de plus. Nos maisons, nos carrières et nos vies seraient détruites.

—C'est pourquoi il est important que tu dissimules la couleur de ta peau, ainsi que tes boulons et tes points de suture, ajouta Viveka.

—Où sont les vôtres? voulut savoir Frankie.

Viveka souleva son foulard de mousseline noire avec un clin d'œil. Deux boulons étincelants sautèrent aux yeux de Frankie.

Viktor dézippa le col montant de sa veste de survêtement, révélant sa propre quincaillerie.

—Vol… tage, murmura Frankie, stupéfaite.

—Je vais préparer le petit déjeuner. (Viveka se leva en lissant les plis de sa robe.) Il y a un DVD avec le mode d'emploi dans le coffret de maquillage, expliqua-t-elle. Tu devrais commencer à t'entraîner dès maintenant. (Ses parents déposèrent chacun un baiser sur son front avant de se retirer, faisant mine de refermer la porte derrière eux, mais Viveka se retourna une dernière fois.) N'oublie pas, lança-t-elle. Tu dois être prête pour la rentrée des classes.

Et elle referma doucement la porte derrière elle.

—OK.

Frankie sourit, se souvenant que cette conversation déprimante avait commencé dans l'euphorie. Elle était sur le point d'entrer au lycée!

Elle replia ses orteils et se débarrassa d'un coup de pied du méchant vêtement de laine comme de la dépouille d'un écureuil. Personne ne portait de tailleurs-pantalons en lainage cette saison, décréta-t-elle comme les pièces indésirables disparaissaient de son champ de vision.

Juste pour être sûre, elle consulta le numéro de rentrée de *Teen Vogue*. Comme elle l'avait suspecté, la mode cette année-là faisait la part belle aux tissus légers, aux couleurs précieuses et aux imprimés animaliers. Foulards et gros bijoux étaient le *must-have* de la saison en matière d'accessoires et la laine était tellement *out* qu'elle n'était même pas dans la liste des tendances en perte de vitesse.

Les articles des magazines étaient on ne peut plus clairs. Que ce soit dans *Teen Vogue*, *Muteen* ou *CosmoGirl*, la tendance était au naturel, à l'authentique, recommandant aux jeunes filles de s'aimer telles qu'elles étaient et de passer au vert! Strictement l'inverse de ce que lui avaient dit Vik et Viv.

Hum.

Frankie se tourna vers le miroir en pied appuyé contre la penderie jaune. Elle ouvrit son peignoir et examina son corps. Mince, musclé et délicieusement proportionné; elle adhérait à cent pour cent au message des magazines. Qu'est-ce que ça faisait si sa peau était verte? Ou si ses membres étaient cousus à son corps? Selon les magazines, qui étaient quand même beaucoup plus en phase avec l'époque que ses parents – sans vouloir les vexer –, elle devait s'accepter telle qu'elle était. Ça tombait bien, elle s'adorait! Conclusion, si les normies lisaient les magazines (ce qu'ils faisaient très certainement puisqu'ils étaient dedans), ils l'adoreraient eux aussi. Le naturel était au goût du jour.

En plus, elle était la parfaite petite fille à son papa, non ? Qui n'aimait pas la perfection ?

CHAPITRE 5

DRAGUE ACADEMY

Malgré l'heure matinale, Mélodie et Candace s'élancèrent dans Radcliffe Way avec l'énergie de deux filles venant de passer quatorze heures confinées dans un 4 x 4. Elles constatèrent avec surprise que le voisinage était déjà en pleine effervescence : des gamins pédalaient dans l'impasse au bout de la ruelle tandis qu'un peu plus bas une famille d'athlètes au grand complet jouait au foot dans la cour devant chez eux.

— Tu crois qu'ils sont tous frères ? s'étonna Mélodie alors qu'elles approchaient de l'imposante bâtisse de pierre devant laquelle pas moins de dix garçons chargeaient l'apollon aux cheveux hirsutes qui avait le ballon.

— Grossesses multiples, répondit Candace tout en faisant gonfler ses cheveux.

Soudain, les garçons semblèrent lever le pied et finirent par s'immobiliser complètement, s'extirpant de la mêlée pour regarder passer les sœurs Carver.

— Pourquoi est-ce qu'ils nous regardent comme ça ? marmonna Mélodie entre ses dents.

— Va falloir t'y habituer, rétorqua Candace de même. Les jolies filles se font toujours mater.

Elle adressa un petit signe de la main et un sourire à la meute de garçons aux joues légèrement rosies par l'exercice, qui semblaient tous en âge d'aller au lycée et arboraient la même chevelure auburn divinement désordonnée – parce qu'ils le valaient bien. La fumée qui s'échappait de leur barbecue géant répandait dans le voisinage une odeur âcre de viande grillée à l'heure où la plupart des gens en étaient encore à leur première tasse de café.

Mélodie sentit son estomac vide gargouiller. À cet instant, elle aurait volontiers troqué son petit déjeuner contre une côtelette.

— Vous étiez super top dans le dernier catalogue Calvin Klein, leur lança Candace.

Les garçons se regardèrent d'un air déconcerté.

— Candace! s'offusqua Mélodie en donnant une tape sur le bras de sa sœur.

— Allez… lâche-toi un peu! gloussa Candace en faisant claquer sur le trottoir les semelles compensées des sandales argentées de sa mère.

— Tout le monde nous dévisage comme si on débarquait d'une autre planète.

— C'est tout comme, répondit Candace en réajustant sur sa nuque les liens de sa combinaison Missoni.

— C'est peut-être parce que tu es habillée comme un samedi soir alors qu'on est dimanche matin.

— C'est plutôt parce que, toi, tu as gardé tes vêtements de

la veille, répliqua Candace du tac au tac. Depuis quand on porte un jean baggy et un tee-shirt Hanes gris plein de sueur quand on veut se faire de nouveaux amis ?

Mélodie envisagea un instant de riposter, mais elle laissa tomber. Chacune camperait sur ses positions : Candace continuerait à penser que l'apparence était le passe-partout du succès tandis que Mélodie aspirerait toujours à moins de superficialité chez ses semblables.

Elles parcoururent le reste de Radcliffe Way en silence. La route serpentait au travers de ravines boisées. Des deux côtés, les maisons étaient bordées de sages pelouses sur le devant et de fourrés épais et arborés à l'arrière. Mais les ressemblances s'arrêtaient là : de la même façon que les rondins de bois du chalet des Carver avaient chacun sa propre texture, chaque maison possédait un caractère propre qui la distinguait des autres. Au fond de l'impasse, un bunker de béton gris était ceinturé par un enchevêtrement disgracieux de fils électriques et de câbles téléphoniques. Une vieille demeure victorienne disparaissait presque sous le feuillage imposant des érables dont tombait une nuée de samares en tournoyant comme des pales d'hélicoptère pour atterrir sur le sol couvert de mousse. Au n° 9, une piscine carrelée de noir et des dizaines de fontaines en forme de minicréatures marines faisaient le bonheur des petits et des grands. Et d'ailleurs, en dépit du voile de nuages gris argent qui cachait le soleil, ses propriétaires chahutaient dans l'eau, s'éclaboussant joyeusement comme une colonie de dauphins.

Salem apparaissait de plus en plus clairement comme une ville faisant l'éloge de l'individualité, un endroit qui avait adopté la doctrine du vivre et laisser vivre. Mélodie éprouva une pointe de regret : son ancien nez aurait trouvé sa place ici.

— Regarde ! s'exclama-t-elle en montrant du doigt une voiture multicolore qui passait en trombe. Les portes noires d'une Mercedes, le capot blanc d'une BMW, le coffre argenté d'une Jaguar, le toit décapotable rouge d'une Lexus, les pneus à bande blanche d'une Bentley, et un autoradio de la marque Bose diffusant de la musique classique. Des emblèmes de chaque marque étaient suspendus au rétroviseur, et les plaques affichaient judicieusement l'immatriculation : MÉTIS.

— On dirait une pub Benetton ambulante.

— Ou un carambolage sur Rodeo Drive à Beverly Hills.

Candace dégaina son iPhone et prit une photo qu'elle envoya par mail à ses amies de Beverly Hills, qui lui renvoyèrent *illico* des photos de ce qu'elles étaient en train de faire. Elles devaient être en plein shopping, car, une fois sur Staghorn Road, Candace accéléra le pas et se mit à demander à toutes les personnes de moins de cinquante ans qu'elle croisait où traînaient les gens cool.

Réponse unanime : sur les quais. Mais il n'y aurait personne avant encore quelques heures.

Elles prirent leur temps, et après une pause-café au lait et quelques coups d'œil aux boutiques de vêtements – jugées « inshopinables » par Candace –, midi arriva tranquillement. Grâce au plan de Beau et aux aimables indications des passants, elles se dirigèrent dans la ville endormie vers les quais, où elles arrivèrent dûment requinquées à la caféine et prêtes à se faire connaître de la jeunesse de Salem.

— Quoi ? C'est ça ? (Candace s'arrêta tout net, comme si elle venait de percuter une paroi de verre.) C'est ça, l'épicentre branché du nord-ouest de l'Oregon ? se mit-elle à hurler en désignant le camion du marchand de glaces, l'aire de jeux pour enfants et le bâtiment de briques abritant un manège de petits chevaux.

— Humm, ça sent comme au cinéma, fit remarquer Mélodie, reniflant l'odeur de pop-corn et de hot dog qui flottait dans l'air.

— Indécrottable Nélodie, décocha Candace. Même sans ton nez, tu resteras toujours la même.

— Très drôle, répondit Mélodie en levant les yeux au ciel.

— Eh bien non, ce n'est pas drôle du tout, se renfrogna Candace. Rien n'est fun ici ! C'est même carrément le cauchemar. Écoute-moi ça ! (Elle désigna le manège d'où provenait un air joué à l'orgue, typique des films d'horreur ou des scènes de clowns psychotiques, dont la cadence faussement enjouée semblait les narguer.) La seule personne de plus de huit ans et de moins de quarante, c'est ce type là-bas. (Candace désigna un garçon assis tout seul sur un banc en bois.) Et je crois bien qu'il est en train de pleurer.

Le garçon avait le dos voûté et la tête penchée sur un carnet à dessin, et il ne levait les yeux que pour jeter de rapides coups d'œil au manège tournoyant.

La transpiration picota les aisselles de Mélodie comme son corps reconnaissait le garçon avant son cerveau.

—Allons-nous-en, souffla-t-elle en tirant le bras mince de sa sœur.

Trop tard. Candace esquissa un sourire ravi et ses semelles compensées s'accrochèrent fermement au trottoir constellé de chewing-gums.

—Dis donc, ce ne serait pas…

—Non! On y va, insista Mélodie en la tirant plus fort. Je crois que j'ai vu une boutique Abercrombie là-bas. Viens.

—Mais oui, c'est bien lui! (Candace traîna sa sœur en direction du garçon, à qui elle lança, tout sourires:) Salut voisin!

Le garçon releva la tête, puis écarta de son visage une mèche de cheveux bruns ondulés. Le sang de Mélodie ne fit qu'un tour. Il était encore plus mignon vu de près.

L'épaisse monture noire de ses lunettes encadrait des yeux noisette zébrés d'or, qui ressemblaient à des éclairs déchirant un ciel sombre. Ça lui donnait le look geek chic d'un super héros *incognito*.

—Tu te souviens de ma sœur à la fenêtre? lui demanda Candace d'un air légèrement revanchard, comme si c'était la faute de Mélodie si les quais étaient si décevants.

—Heu… Salut… Je… m'appelle… Mélodie, finit par articuler celle-ci, les joues en feu.

—Moi, c'est Jackson, répondit-il en baissant les yeux.

Candace pinça le tissu de son haut blanc.

—On a failli pas te reconnaître avec ton tee-shirt.

Mal à l'aise, Jackson sourit avec nervosité sans quitter son dessin des yeux.

—T'es plutôt mignard, roucoula Candace. (Pour elle, c'était la contraction entre « mignon » et « ringard ».) T'aurais pas un grand frère qui n'a pas besoin de lunettes… ou qui porte des lentilles ? insista-t-elle.

—Non. (Le teint clair et délicat de Jackson vira à l'écarlate.) Je suis fils unique.

Mélodie gardait les bras serrés le long du corps pour cacher ses auréoles.

—Qu'est-ce que tu dessines ? demanda-t-elle.

Ce n'était pas une question follement originale, mais c'était toujours mieux que les bêtises que Candace ne manquerait pas de débiter.

Jackson considéra son carnet de croquis comme s'il le voyait pour la première fois :

—C'est juste le manège. Quand il tourne, quoi.

Mélodie observa l'estompe de pastels : sur un fond d'arc-en-ciel dégradé, on distinguait des silhouettes fugitives d'enfants et de chevaux. L'ensemble avait une qualité vaporeuse, insaisissable, comme la mémoire fugitive d'un rêve récurrent qui apparaîtrait et disparaîtrait par flashs intermittents au cours de la journée.

—Tu dessines vraiment bien, dit-elle avec sincérité. Ça fait longtemps que tu fais ça ?

Jackson haussa les épaules.

—Une demi-heure environ. J'attends ma mère. Elle avait une réunion dans le coin, et…

Mélodie pouffa.

—Non, je voulais dire depuis combien de temps est-ce que tu fais du dessin. Comme hobby, quoi !

—Oh! (Jackson passa une main dans ses cheveux et les mèches qu'il avait repoussées revinrent en place comme des cartes que l'on bat.) Ben, ça fait quelques années.

—Sympa, approuva Mélodie.

—Ouais, acquiesça Jackson.

—Cool, renchérit Mélodie.

—Merci, opina Jackson.

—Pas de quoi, abonda Mélodie.

La musique venant du manège sembla soudain augmenter de volume, comme pour faire diversion et les aider à sortir de ce bredouillage monosyllabique ponctué de hochements de tête.

—Et… euh… vous arrivez d'où? demanda Jackson à Candace en zieutant sa tenue qui criait à qui voulait l'entendre qu'elle venait d'un autre État.

—Beverly Hills, répondit-elle comme si c'était une évidence.

—On a déménagé parce que je suis asthmatique, précisa Mélodie.

—Bravo pour le côté sexy, Mel, soupira Candace, découragée.

—Quoi? C'est la vérité.

Le visage de Jackson se détendit aussitôt en un sourire généreux, comme si l'aveu de Mélodie avait invité sa confiance à danser et qu'elle avait accepté.

—Et, euh… tu connais Merston High? demanda-t-elle, donnant le rythme.

—Oui. (Il glissa sur le banc, lui offrant implicitement de le partager avec lui.) C'est là que je vais.

Mélodie prit place près de lui, gardant toujours les bras le long du corps au cas où elle serait sous le vent.

— En quelle classe ?

Candace était restée debout et textotait.

— J'entre en seconde.

— Pareil.

Le sourire de Mélodie se fit plus large que nécessaire.

— Ah ouais ?

Jackson lui rendit son sourire. Ou plutôt, il n'avait pas cessé de sourire.

Mélodie hocha la tête.

— Et alors ? C'est comment ? Les gens sont sympas ?

Il baissa les yeux et haussa les épaules. Son sourire disparut. La musique avait cessé. Le charme était rompu. L'odeur huileuse de ses pastels flottait dans l'air, comme le parfum qu'un amoureux laisse derrière lui quand il s'en va.

— Ça veut dire quoi ? demanda anxieusement Mélodie, dont le cœur se mit à battre un chant funèbre.

— Les gens sont sympas, j'imagine. C'est juste que ma mère est prof là-bas, et c'est une vraie peau de vache. Du coup, personne n'a envie d'enregistrer mon numéro de portable dans ses favoris.

— Moi, je veux bien, proposa obligeamment Mélodie.

— Sérieux ? s'étonna Jackson, alors que la sueur perlait sur son front.

Mélodie acquiesça, son cœur entonnant soudain un chant plus gai. Elle se sentait étrangement bien avec ce garçon inconnu ; peut-être parce qu'elle avait l'impression que son regard ne s'arrêtait pas à la surface de son visage, mais qu'il regardait plus profond en elle. Et qu'il ne se laissait pas décourager parce qu'elle portait ses vêtements de la veille auréolés de sueur et racontait aux mignards qu'elle était asthmatique.

— D'accord. (Il étudia son visage une dernière fois avant d'inscrire son numéro de portable sur son dessin à la craie rouge.) Tiens. (Il arracha la feuille de son carnet de croquis et la lui tendit tout en s'essuyant le front d'un revers de main.) Il faut que j'y aille.

— OK.

Mélodie se leva en même temps que lui, entraînée par la force de la connexion qui les unissait.

— À un de ces quatre.

Il lui adressa un petit signe maladroit de la main avant de s'élancer vers le manège qui tournait toujours et de s'éloigner rapidement.

— Bien joué. (Candace laissa tomber son téléphone au fond de son sac à main de cuir métallisé.) Les mignards sont un excellent entraînement. Allons manger un morceau, maintenant. (Elle balaya le parc du regard.) Si on trouve un endroit où on ne risque pas d'attraper une intoxication alimentaire.

Mélodie suivit sa sœur le long des méandres des allées, souriant au numéro de téléphone inscrit au pastel rouge. C'était une chose d'avoir osé le lui demander, mais trouver le courage de l'appeler serait une autre histoire. Enfin, elle avait son numéro. Il avait accepté de le lui donner. *De son plein gré.* Elle pourrait se permettre de se rejouer la scène de leur conversation autant de fois qu'elle le voudrait sans se demander si l'attirance était réciproque.

Et elle n'allait pas se gêner.

— Hot dog et Coca light, ça te dit ? proposa Candace.

— Sans moi, répondit Mélodie, souriant à la beauté du ciel couvert.

Elle n'avait plus aucune sensation de vide à combler.

CHAPITRE 6

BATTUE À PLATES COUTURES

Viveka frappa à la porte du Glamoratoire de Frankie :

—Il faut y aller ! Nous allons être en retard !

—J'arrive ! lui répondit Frankie, comme les quatre fois précédentes.

Alors que ce qu'elle avait vraiment envie de dire était : « Un peu de patience… Il faut du temps pour atteindre la perfection. »

Et la tenue qu'elle présentait aux Glitterati était vraiment parfaite. Enfin, dès qu'elle y aurait mis la touche finale.

—Vous préférez les blanches ? (Elle se planta une paire de lunettes mouche en plastique blanc sur le nez et prit la pose, une main sur la hanche et le menton en avant.) Ou les vertes ?

Une montagne de vêtements jetés pêle-mêle couvrait le sol, rendant d'autant plus périlleux ses déhanchements et ses demi-tours devant les souris blanches, surtout avec des sandales rose métallisé aux semelles compensées vertigineuses. Mais les souris de laboratoire n'avaient pas besoin de tout ce tralala pour se faire une idée. Cela faisait déjà trois heures qu'elles étaient mises à contribution, et elles faisaient du bon boulot, grattant le sol une fois pour « oui » et deux fois pour « non ». C'est ainsi qu'elles avaient choisi le top à rayures noires et blanches et la mini à fleurs que portait à présent Frankie. Le mélange des motifs était très tendance.

—Alors, les blanches ou les vertes ? leur demanda de nouveau Frankie.

Épuisées, trois des souris s'étaient agglutinées les unes contre les autres en une boule de poils inerte. Les deux rongeurs encore actifs grattèrent une fois pour désigner les lunettes blanches. Les petites bêtes faisaient preuve de discernement, car le vert était trop ton sur ton avec la peau de Frankie, qui n'avait surtout pas l'intention de passer inaperçue pour son premier jour à l'école des normies.

Elle releva ses cheveux noirs en une queue-de-cheval haute qui se balançait joliment, appliqua du gloss sur ses lèvres charnues et imprégna ses boulons cervicaux d'un échantillon de Sensuous d'Estée Lauder trouvé dans un magazine. « Un parfum qui révèle la sensualité la plus secrète de chaque femme », comme disait la pub.

—Souhaitez-moi bonne chance, les Glitterati !

Elle déposa un baiser sur la cage de verre, y laissant une empreinte rose et brillante.

Les deux dernières souris s'écroulèrent à leur tour et vinrent rejoindre leurs congénères dans un amas de poils et de paillettes.

—Je suis prête ! annonça Frankie.

Dans la cuisine, debout près de l'îlot central en acier inoxydable, ses parents avalaient un café sur le pouce en croquant chacun leur tour dans un bagel – un truc qu'ils avaient adopté pour s'exercer à faire comme les normies puisque, à l'instar de Frankie, ils rechargeaient leurs batteries chaque matin et n'avaient pas besoin de se nourrir.

La maison en forme de L aux lignes pures où dominait un blanc minimaliste était imprégnée du parfum électrique du pain grillé et de l'odeur ammoniaquée de l'efficacité. La lumière du petit jour frappait aux fenêtres de verre dépoli, cherchant un interstice où s'introduire.

Rien n'avait changé et pourtant tout était différent. Frankie se sentait vivante. Gaie. Pleine d'énergie. Parce que, pour la première fois de sa vie, elle était autorisée à quitter la maison.

— Tu n'iras nulle part dans cette tenue! s'exclama Viktor en reposant bruyamment sa tasse immaculée sur le journal ouvert devant lui.

— Frankie, où est ton tailleur-pantalon? s'enquit Viveka en se dirigeant à grands pas vers sa fille.

À présent qu'elle connaissait la vérité, Frankie regardait d'un autre œil le maquillage, la robe pull grise à col roulé, les leggings noirs et les bottes au-dessus du genou de sa mère.

— Et ton maquillage? explosa Viktor.

— « Passez au vert! » claironna Frankie, citant les magazines. L'époque est au naturel. C'est un des grands messages de notre temps. En plus, je suis fière de ce que je suis telle que tu m'as fabriquée. Si les gens ne m'aiment pas parce que je ne suis pas une normie, c'est leur problème, pas le mien.

— Tu ne sortiras pas comme ça. (Viktor était catégorique.) Pas avec tes boulons et tes coutures exposés à tous les vents.

—Papa! (Des étincelles jaillirent du bout des doigts de Frankie.) Les tailleurs-pantalons, c'est le cimetière des vieilles fripes.

Elle tapa du pied sur le tapis, mais sa semelle compensée se perdit dans les longues mèches laineuses, étouffant sa contrariété sans qu'elle puisse exprimer sa détermination.

—Ton père a raison, insista Viveka.

Frankie foudroya du regard ses parents couleur pâte à cookie. Leurs soupirs condescendants donnaient le ton de leur obstination.

—Va te changer, lui ordonna Viktor. Avant qu'on soit tous en retard.

Frankie regagna sa chambre en martelant le sol. Elle en ressortit quelques secondes plus tard, un foulard marron noué autour du cou et de larges manchettes de cuir aux poignets, et uniquement parce que *Teen Vogue* avait décrété que ces accessoires étaient les incontournables de l'automne. Elle leur sourit d'un air narquois.

—Voilà. Plus de boulons ni de coutures apparents. On peut y aller maintenant?

Viveka et Viktor échangèrent un regard avant de se diriger vers la porte de derrière menant au garage, suivis de Frankie qui affichait un sourire victorieux dans sa tenue suprêmement voltage. Elle serait fabuleusement glamour.

«Clic-clac.» Les portes du 4x4 Volvo noir se déverrouillèrent.

—Prenons plutôt MÉTIS! suggéra Frankie, au souvenir de l'implant mémoriel d'une excursion familiale dans le parc national des Silver Falls qu'elle adorait tout particulièrement et qu'elle aurait aimé vivre pour de vrai.

— Je pense qu'il vaut mieux rester discrets, maintint Viktor.

— Mais enfin papa, tout ce qui est customisé est tellement branché et MÉTIS est la customisation voiturifiée. Tout le monde à l'école la trouvera géniale.

— «Voiturifiée» est un mot qui n'existe pas, Frankie! la reprit sévèrement son père. Maintenant, ça suffit. Les négociations sont closes pour aujourd'hui.

Le trajet jusqu'à l'école lui parut mortellement long. Rien de ce qu'elle entrevoyait de la vraie vie à travers les vitres teintées ne différait de ses souvenirs artificiels : les arbres, les voitures, les maisons, et même les normies, tout était pareil. Elle bouillait d'impatience de respirer l'air pur. Mais parce qu'elle avait zappé son application d'Absolue Perfection, il lui était formellement interdit de baisser les vitres. Le grand frisson devrait attendre.

Deux heures plus tard, la Volvo noire arriva enfin au lycée de Mount Hood. Frankie avait du mal à croire qu'il n'y ait pas d'autre école plus près de chez eux, mais elle n'osa rien dire. Ses parents étaient déjà contrariés et elle redoutait qu'une objection supplémentaire lui vaille de rentrer directement à la maison.

Sans prendre la peine de jeter plus qu'un coup d'œil à la montagne majestueuse qui trônait dans le lointain, ni aux feuilles d'or et de carmin emportées paresseusement par le vent, Frankie descendit de voiture pour inspirer sa première vraie bouffée d'oxygène : dépourvu des relents de formol auxquels elle était habituée, l'air vif et frais lui fit l'effet d'une eau de source servie dans un bol de terre fraîche. Levant le visage vers le ciel, elle retira ses lunettes blanches et offrit sa peau verte à la caresse chaude et accueillante du soleil. Éblouis par la lumière, ses yeux se mouillèrent de larmes. À moins que ce soit la joie ?

Frankie n'avait pas la moindre idée de la direction à prendre, mais s'en moquait complètement, autant que de quitter ses parents pour la première fois. Elle avait reçu d'eux tant de connaissances et de confiance en elle qu'elle ne doutait pas un instant qu'elle se débrouillerait. Et ç'allait être fun.

Le campus était curieusement désert, à part les rares voitures garées sur le parking. Elle fut d'abord tentée de demander à ses parents où était passé tout le monde, mais elle se ravisa. Pourquoi leur donner l'impression qu'elle n'était pas prête à affronter le vaste monde ?

— Tu es sûre de ne pas vouloir ton maquillage ? lui cria Viveka en sortant la tête par la fenêtre du côté passager.

— Certaine, l'assura Frankie. (Le soleil sur ses bras lui procurait plus d'énergie que Carmen Electra.) À ce soir. (Elle sourit en leur soufflant un baiser d'adieu avant qu'ils souffrent du syndrome des parents dont le petit quitte le nid.) Bonne rentrée aussi à l'université.

— Merci, répondirent-ils avec un bel ensemble, comme toujours.

Frankie se dirigea d'un pas nonchalant vers les portes d'entrée, respirant à pleins poumons comme dans un *open bar* à oxygène. Elle sentait leur regard qui la suivait depuis le parking désert, mais elle ne voulait pas se retourner. À partir de maintenant, elle devait aller de l'avant.

Elle grimpa les onze larges marches qui la séparaient de la porte à double battant, goûtant les élancements de l'exercice physique non virtuel dans les muscles de ses jambes. Savoir une chose théoriquement était bien beau, mais rien ne valait d'en faire l'expérience.

Après une courte pause pour reprendre haleine, Frankie tendit la main en direction de la poignée quand…

« Bang ! » Elle reçut la porte en pleine figure. Ses boulons crépitèrent et elle enfouit son visage endolori dans ses mains.

—Oh, pardon ! Est-ce que ça va ? lui demanda à plusieurs voix un bataillon de filles.

Elles s'étaient agglutinées autour d'elle, comme la ligne des gratte-ciel à New York. Le bol d'air frais de Frankie fut soudain envahi d'un pot-pourri de parfums dont le sillage fruité lui souleva l'estomac.

—C'est un regrettable accident, dit l'une des filles en tapotant la queue-de-cheval de Frankie. On ne t'avait pas vue, tu comprends ?

Son geste amical inonda Frankie d'une chaleur plus intense que celle du soleil. Les normies étaient sympas ! Elle releva la tête en souriant.

—Bah, j'ai eu plus de peur que de mal.

—Mais qu'est-ce que c'est que… ça, nom d'un Shrek ?

Une blonde vêtue d'une tenue de pom-pom girl verte et jaune fit un bond en arrière.

—Tu as un mal des transports carabiné ou bien ta peau est… verte, constata une autre blonde.

—C'est une blague? demanda une troisième en s'écartant juste au cas où.

—Non, c'est bien la couleur de ma peau, ce joli menthe à l'eau. (Avec un sourire modeste, Frankie leur tendit la main pour les saluer, ce qui fit glisser sa manchette, dévoilant une rangée de points de suture sur son poignet. Elle s'en contrefichait. C'était ainsi qu'elle était faite, avec ses boulons et tout le reste.) Je suis nouvelle. Je m'appelle Frankie et je viens de…

—De L'Atelier nounours? l'interrompit une des filles en se repliant lentement.

—C'est un monstre! glapit la seule brune du groupe.

Elle tira un portable de son soutien-gorge et composa le numéro de police secours avant de courir se mettre à l'abri à l'intérieur du bâtiment.

—Hiiiiiiiiiii! s'époumonèrent les autres, hystériques, en agitant bras et jambes comme s'ils étaient couverts d'insectes.

—Je vous avais bien dit que ça portait malheur de répéter un dimanche! sanglota l'une d'elles.

Les pom-pom girls battirent en retraite derrière les portes qu'elles barricadèrent dans le désordre en tirant des chaises à grand bruit.

Dimanche?

Des sirènes de police hurlèrent dans le lointain.

La Volvo noire s'immobilisa en dérapant au pied des marches et Viktor en jaillit.

— Vite ! appela Viveka par la fenêtre ouverte.

Les membres paralysés et l'esprit vide, Frankie vit son père se précipiter sur elle.

— Il faut partir d'ici ! lui cria-t-il. (Les sirènes se rapprochaient.) Je voulais te donner une leçon, grommela-t-il en prenant sa fille à bras-le-corps pour la mettre à l'abri. Je n'aurais jamais dû laisser les choses aller si loin.

Frankie fondit en larmes tandis que son père quittait le parking en trombe et tournait sur Balsam Avenue en faisant crisser les pneus. La Volvo s'engagea dans le flot de la circulation en même temps qu'un grand nombre de voitures de police s'arrêtaient devant le lycée, cernant le bâtiment.

— C'était moins une, chuchota Viveka, des larmes roulant sur ses joues.

Viktor se concentrait sur sa conduite, les yeux braqués droit devant lui, ses lèvres minces résolument scellées. L'heure n'était plus aux sermons, ni aux excuses de la part de Frankie. Ils savaient tous exactement ce qui s'était passé et ce que chacun d'entre eux aurait pu faire pour qu'il en aille autrement. Une seule question demeurait en suspens : et maintenant ?

Frankie contempla le reflet de son visage baigné de larmes dans la vitre de la voiture, et la réalité lui sauta aux yeux dans toute sa laideur. Elle était effrayante.

Une par une, elle laissa couler ses larmes, qui se suivaient à l'identique, comme sur une chaîne de montage : elles se formaient, débordaient de ses yeux puis coulaient sur ses joues, l'une après l'autre, symboles de ce qu'elle venait de perdre : l'espoir, la foi, sa confiance en elle et dans le monde, sa fierté, la sécurité, son indépendance, sa joie de vivre, sa beauté, sa liberté et son innocence.

Son père alluma la radio.

« … *Quatre pom-pom girls en état de choc prétendent avoir vu un monstre au lycée de Mount Hood.* »

Les nouvelles allaient vite.

— Éteins ça, Viktor, lui intima Viveka en reniflant.

— Il est primordial de nous tenir au courant, répliqua-t-il en montant le volume. Nous devons évaluer l'étendue des dégâts.

Frankie émit un bouquet d'étincelles.

« … *Racontez-nous ce que vous avez vu exactement* », poursuivit la voix masculine à la radio.

« *Elle était verte… Enfin, je crois bien que c'était une femelle, mais je n'en suis pas sûre. C'est arrivé si vite. Elle a d'abord prétendu être humaine, et puis elle a tendu le bras pour nous attraper comme un…* (La voix de la fille se brisa.) … *horrible mooooooonstre de l'espaaaace !* »

La tristesse de Frankie céda le pas à la colère.

— Je voulais juste me présenter !

« *Vous n'avez plus rien à craindre,* dit le journaliste, tentant de rassurer son témoin oculaire. *Asseyez-vous une minute* », proposa-t-il, puis sa voix devint inaudible.

Lorsqu'il s'exprima de nouveau, il était très professionnel.

« *Le premier témoignage d'apparition de monstres dans la ville de Salem remonte à 1940 lorsqu'une meute de loups-garous fut arrêtée à la frontière entre l'État de Californie et celui de l'Oregon, en possession de sacs McDonald's qu'ils tenaient dans*

leur gueule. Après une longue accalmie, le dernier témoignage date
de 2007, quand un garçon nommé Billy s'est mis à disparaître et
à réapparaître en présence de plusieurs témoins. Aujourd'hui, un
monstre extraterrestre à la peau verte vient d'être signalé au lycée
de Mount Hood...»

Viveka coupa la radio d'un geste vif.

— C'est un extraterrestre qu'ils recherchent, c'est déjà ça, soupira-t-elle avec soulagement.

— Frankie. (Viktor chercha le regard de sa fille dans le rétroviseur.) La rentrée des classes a lieu mardi prochain, après le week-end de la fête du Travail. Ta véritable école s'appelle Merston High et se trouve à trois pâtés de maisons de chez nous. Nous ne te laisserons pas y aller si tu ne...

— Oui, j'ai compris la leçon, renifla Frankie. Je porterai toute la panoplie. Je vous le promets.

Elle était sincère. Elle n'avait plus du tout envie de passer au vert.

CHAPITRE 7
MÉLODIE EN ZONE ENNEMIE

La cloche annonça l'heure du déjeuner avec un «bip-bip-bip» intermittent évoquant le signal occupé du téléphone. La sonnerie marquait pour Mélodie la fin officielle de sa première matinée à Merston High, qui avait déjà perdu tout son mystère dans son imagination peuplée de possibles infinis et d'espoir de lendemains meilleurs. Le lycée s'était révélé complètement – mortellement – ordinaire. Comme un premier rendez-vous avec un garçon sur qui on a flashé en ligne après des mois de flirt virtuel, la réalité n'était pas à la hauteur de ses aspirations. Elle était fade, prévisible et infiniment moins séduisante que sur les photos.

Architecturalement parlant, le bâtiment rectangulaire de briques couleur moutarde était aussi quelconque qu'un paquet de chewing-gums Trident. L'odeur de sueur-gomme-crayon-livre-bibliothèque – qui ne manquerait pas d'évoluer en mal de tête aux mêmes parfums d'ici à 14 heures – était tellement prévisible. Et les inscriptions débiles gravées dans les bureaux genre «T'es mordue, Lala!», «Tout mou de partout» ou « Gros nase allergique au gluten » faisaient triste mine à côté de celles qu'elle avait l'habitude de lire à Beverly Hills et qui ressemblaient aux gros titres du site de potins de stars TMZ.

Fatiguée, affamée et déçue, Mélodie se sentait l'âme d'une réfugiée, en peut-être un peu plus stylée, tandis qu'elle traînait des pieds à l'unisson de la masse des élèves en quête de nourriture. Vêtue du slim noir de Candace (sa sœur avait insisté), d'un tee-shirt rose des Clash et de Converse roses, elle semblait sortie tout droit d'un revival Woodstock dans un bahut où les élèves portaient encore les pièces d'origine. Sa tenue colorée de punkette branchée détonnait inutilement au milieu des jupes fluides et des chemises de bûcheron, et elle avait l'impression de s'être trompée de concert. Même ses cheveux noirs pendouillaient sur ses épaules avec une apathie rebelle, à cause d'un échantillon d'après-shampoing trompeusement étiqueté : « shampoing ».

Elle espérait au moins que son accoutrement de guerrière montrerait aux élèves de Merston High qu'elle n'était la Nélodie de personne. Ce qui semblait avoir fonctionné, parce que tout le monde l'avait plus ou moins snobée toute la matinée. Quelques garçons sans intérêt l'avaient dévisagée avec gourmandise, comme un morceau de gâteau passant sur un chariot à desserts et pour lequel ça valait le coup de garder de la place. À quelques occasions, elle s'était même autorisée à leur sourire, faisant semblant de croire que c'était elle qu'ils regardaient et pas la création parfaitement symétrique sortie des mains de son père. C'est ce qu'elle avait cru à propos de Jackson… mais elle s'était trompée.

Depuis leur petite conversation sur les quais, le gentil garçon qui avait écrit son numéro de portable à la craie rouge était physiquement et virtuellement aux abonnés absents. Après avoir collé son dessin sur le mur de rondins de sa chambre, Mélodie avait enregistré son numéro sous l'initiale «J» dans les numéros abrégés de son portable, c'est-à-dire ceux qu'elle était censée appeler le plus souvent. Et pour ce qui était d'appeler, elle ne s'était pas gênée! Mais il n'avait jamais répondu. Elle avait disséqué leur rencontre dans les moindres détails, tâchant de lire entre les lignes, de regarder sous les mots et de vérifier chaque geste… sans trouver aucune explication logique à ce silence.

C'était peut-être son côté empoté? *Mais nous sommes tous les deux timides et maladroits, non?* Après plus de quarante heures d'analyse, Mélodie en était arrivée à la conclusion que ce devait être la faute de ses vêtements de voyage, finalement.

Et puis Candace lui avait parlé du bon vieux «coup du mignard» alors qu'elles se prélassaient sur la balancelle du porche, profitant de leur dernière soirée sans devoirs de l'été.

—C'est un coup classique, avait expliqué sa sœur après le troisième texto resté sans réponse que Mélodie avait envoyé à Jackson. Le mignard se fait passer pour un brave petit gars pour gagner la confiance de la fille, et puis il joue les filles de l'air et ne donne plus signe de vie pendant un jour ou deux. La fille est bien accrochée, parce qu'elle s'inquiète. Elle commence à flipper, et là… (Candace avait claqué des doigts)… il réapparaît comme par magie à l'improviste. La fille est tellement soulagée qu'il ne soit pas mort et tellement contente qu'il s'intéresse toujours à elle qu'elle se jette dans ses bras. Le petit oiseau profite de ce contact intime pour faire son *coming out* et le gentil mignard se transforme en… (elle avait marqué une pause pour ménager son effet)… parfait salopard ! Certains appellent ce genre de type « un chaud lapin », ou tout simplement « un obsédé ».

—Ce n'est pas son genre, avait affirmé Mélodie en jetant un regard en coin à son iPhone.

Mais le petit oiseau se faisait désirer. Pas le moindre gazouillis.

—Comme tu voudras. (Candace s'était éjectée de la balancelle.) Mais ne viens pas faire ton étonnée quand tu découvriras qu'il n'est pas celui que tu crois. Candace, terminé ! avait-elle conclu pour couper court à la discussion dans un claquement de doigts, avant de rentrer au chalet, plantant Mélodie sous le porche.

—Merci du conseil, lui avait crié Mélodie, tout en se demandant si Jackson était à sa fenêtre en train de la regarder.

Sinon, où était-il ? Si oui, pourquoi n'appelait-il pas ?

Mélodie tenta de balayer son obsession de l'analyse d'un haussement d'épaules et se mêla aux autres lycéens qui entraient dans la cafétéria. Tous les élèves s'éparpillèrent pour trouver une place sur les mesures du reggae lancinant de *Hope* de Jack Johnson qui se déversait des haut-parleurs.

Mélodie resta en arrière à la hauteur d'un stand de recrutement de bénévoles pour la commission du bal de rentrée (*tiens, ils font ça ici ?*) et fit semblant de lire les petites annonces tout en étudiant les tactiques mises en œuvre dans la cantine. Elle avait supposé qu'elle aurait déjà retrouvé Jackson à ce moment-là. C'était la rentrée, et sa mère était quand même prof de sciences au lycée, après tout. Mais il s'était manifestement arrangé pour l'éviter.

Une odeur aigre-douce de bœuf mort et de ketchup (*un pain de viande?*) envahissait les quatre «zones» distinctes du réfectoire, définies par des codes couleur et identifiées par des pancartes aux teintes vives peintes à la main : marron pour les allergiques aux arachides ; bleu pour les allergiques au gluten ; orange pour les allergiques au lactose et blanc pour ceux qui n'étaient allergiques à rien. Les élèves transportaient des plateaux aux couleurs de la zone de leur choix, marquant leur territoire en s'interpellant à grands cris comme s'ils se disputaient les places de la première en IMAX 3D d'*Avatar*. Une fois leur table réservée, ils se dirigeaient sans se presser vers les lignes du self pour faire leur sélection de plats validés par des diététiciens avant de rejoindre leurs amis.

— À Beverly Hills, on aurait une seule zone, dit Mélodie à la brunette au faciès équin qui tenait le stand de la commission du bal de rentrée. Pour les allergiques à la nourriture.

Elle rit de sa propre blague.

Face-de-Cheval fronça ses sourcils épais et entreprit de remettre au carré le tas pourtant parfaitement aligné de ses formulaires d'inscription.

Génial! se dit Mélodie en s'éloignant de quelques pas. *Ils vont peut-être inventer une zone pour les allergiques aux amis rien que pour moi.*

La chanson de Jack Johnson s'acheva et la sono enchaîna sur un morceau tout aussi sirupeux et nostalgique du Dave Matthews Band. Il était temps pour Mélodie, comme pour la playlist, de changer de piste. Au moins, elle pourrait squatter la table de Candace, qui était assise entre deux autres blondes dans la zone blanche, en train de lire les lignes de la main d'un garçon hyper canon.

Mélodie fit glisser son plateau blanc sur les rails, regardant droit devant elle en direction de la dernière part de pizza fromage champignons. Derrière elle, un couple se tenant par la main jeta un coup d'œil aux plats du jour par-dessus son épaule. Ils ne semblaient pourtant pas s'intéresser le moins du monde aux raviolis à la viande ou aux burgers de saumon. Ils étaient bien trop occupés à commenter le dernier tweet du garçon qui, si Mélodie avait bien saisi, concernait un monstre que quelqu'un aurait vu à Mount Hood.

—Je te jure, Bek, dit le garçon d'une voix grave et assurée. J'aimerais trop le capturer.

—Qu'est-ce que tu en ferais? demanda la fille, l'air de se faire du souci pour lui. Oh! j'ai trouvé! Tu pourras accrocher sa tête comme un trophée au-dessus de ton lit. Les bras te serviront de portemanteaux, les jambes de montants de porte, et les fesses de porte-stylo!

—N'importe quoi, riposta-t-il d'un ton brusque comme s'il était vexé. J'essaierais de l'apprivoiser pour réaliser un documentaire sur leur migration annuelle.

Leur quoi?

Mélodie ne pouvait pas feindre plus longtemps de s'intéresser à la purée à l'ail. La curiosité la dévorait. Se tournant à demi sans bouger les épaules, comme ceux qui veulent faire taire leurs voisins de derrière au cinéma, Mélodie leur coula un regard en biais.

Le garçon avait des cheveux teints en noir corbeau, une coupe dégradée effilée de toutes les longueurs comme si son coiffeur utilisait une lame rouillée ou qu'il avait eu maille à partir avec un pivert vengeur. Deux yeux espiègles couleur bleu jean pétillaient dans son visage pâle.

Il croisa le regard de Mélodie et y répondit par un sourire.

Elle se détourna rapidement, ayant juste eu le temps d'enregistrer la vision fugitive d'un tee-shirt vert à l'effigie de Frankenstein, d'un pantalon carotte et de vernis à ongles noirs.

—Brett! aboya la fille. Je t'ai vu!

—Quoi?

Il avait pris le même ton coupable que Beau quand Glory le surprenait en train de boire le lait à la bouteille.

—Tu le sais très bien!

Bek le tira d'un coup sec en direction du buffet de salades. Elle portait une robe blanche fluide et une paire d'UGG en tricot couleur pêche. Elle maîtrisait sa garde-robe, et c'était la Belle de cette Bête-là.

La queue avança.

—C'était quoi ce délire? demanda Mélodie à la fille petite et mince qui se retrouva derrière elle.

Vêtue d'un tailleur-pantalon en lainage râpeux assorti d'une épaisse couche de maquillage, elle avait l'air de s'être trompée de concert, elle aussi. Sa tenue suggérait qu'elle aurait préféré écouter de la musique d'ascenseur en montant au dernier étage d'une tour dans les quartiers d'affaires plutôt qu'un groupe de rock.

— Je crois qu'elle est jalouse, murmura timidement la fille.

Elle avait des traits délicats et symétriques qui auraient plu à Beau. Et de longs cheveux noirs comme ceux de Mélodie – en plus brillants, bien sûr.

— Non, sourit Mélodie. Je veux dire, toute cette histoire de monstre. C'est un délire local ?

— Euh, j'en sais rien. (La fille secoua la tête, la masse de ses cheveux noirs balayant son visage.) Je suis nouvelle ici.

— Moi aussi ! Je m'appelle Mélodie.

Elle lui sourit en lui tendant la main droite.

— Frankie, répondit la fille en secouant énergiquement la main tendue.

Une minuscule étincelle d'électricité statique passa entre elles. Comme quand on enlève son pull dans une station de ski.

— Ouille, gloussa Mélodie.

— Désolée, bredouilla Frankie, ses traits fins grimaçant une excuse.

Avant que Mélodie ait pu répondre que ce n'était pas grave, Frankie avait filé, laissant son plateau blanc sur les rails, et un picotement dans la paume de Mélodie en souvenir d'une autre tentative manquée de se faire une amie.

Soudain, le flash d'un appareil photo crépita devant ses yeux.

— Qu'est-ce que… ?

À travers une rafale de points blancs, elle vit détaler une fille minuscule avec des lunettes en écaille et une frange couleur caramel.

— Salut, l'interpella une voix masculine qui lui était familière.

Lentement, les points lumineux disparurent. Un par un, comme un effet spécial complètement ringard, ils s'évanouirent et sa vision brouillée s'éclaira.

Il était devant elle…

Vêtu d'une chemise blanche qui dépassait d'un jean flambant neuf acheté pour la rentrée et de chaussures de randonnée marron. Un sourire irrésistible éclairait son beau visage de brave petit gars.

— Jackson ! s'écria-t-elle en se retenant de se jeter dans ses bras.

Et si c'était le coup du mignard ?

— Ça boume ?

— Cool, et toi ?

— J'ai été malade tout le week-end.

Il disait ça comme si c'était la vérité.

— Trop malade pour répondre au téléphone ? ne put s'empêcher de lâcher Mélodie.

Elle avait l'air d'une furie possessive, et alors ? Il était bien un mignard pervers en puissance.

— Par ici la bonne soupe ! appela l'homme au crâne d'œuf et à la moustache sombre qui faisait le service. (Il fit claquer ses pinces argentées en direction de Mélodie.) Qu'est-ce qu'elle veut, la p'tite dame ?

—Euh… (Elle loucha avec envie vers la dernière part de pizza aux champignons. Comme un chiot dans une animalerie jouant le tout pour le tout pour se faire adopter, la pizza lui rendit son regard. Mais son estomac tordu comme un bretzel n'était pas capable d'un travail de digestion aussi important à cet instant.) Rien, merci.

Elle passa directement à la section des desserts, et Jackson la suivit.

—À quoi ça sert que je te mette dans mes numéros abrégés si tu ne décroches pas ?

Mélodie déposa une grappe de raisin et un muffin aux myrtilles sur son plateau.

—À quoi ça sert de décrocher quand personne n'appelle ? rétorqua-t-il.

Mais les coins de sa bouche étaient empreints d'indulgence, et d'une pointe d'espièglerie.

—Mais j'ai appelé. (Mélodie goba un grain de raisin avant de payer.) Genre, trois fois.

Elle avait appelé plus de sept fois, mais pourquoi rendre les choses plus embarrassantes qu'elles l'étaient déjà ?

Jackson tira un téléphone à clapet de la poche de son jean et l'agita devant elle comme si c'était une preuve. L'écran affichait : messages 0. Il affichait aussi son numéro. Qui se finissait par un 7. Et non par un 1.

Les joues de Mélodie s'empourprèrent au souvenir de la bavure rouge – la marque de son propre pouce – sur le numéro de téléphone qu'il avait inscrit sur le dessin… la bavure qui avait émasculé son 7.

— Oups ! (Elle gloussa tout en payant ce qu'elle avait posé au hasard sur son plateau.) Je crois que je sais ce qui s'est passé.

Jackson s'empara d'un paquet de chips et d'une canette de Sprite.

— Bon, euh… tu veux t'asseoir avec moi ? Si tu ne veux pas, je comprendrai…

— D'accord, répondit aussitôt Mélodie en suivant fièrement son premier ami (et petit ami potentiel) de Merston High vers la zone pour les non-allergiques.

Deux superbes filles au look tape-à-l'œil entreprirent de les doubler, absorbées dans leur conversation. Celle qui ressemblait à Shakira, avec une masse de boucles auburn et un plateau rempli de minihamburgers au bœuf de Kobé, réussit à se faufiler devant Jackson. Mais l'autre fille, qui avait une épaisse frange de cheveux noirs parsemés de larges mèches blondes, se retrouva coincée entre l'épaule de Mélodie et une chaise de la zone bleue.

— Attention ! aboya-t-elle en vacillant sur ses compensées dorées.

— Désolée.

Mélodie empoigna le bras café au lait de la fille pour l'empêcher de tomber. Malheureusement, elle ne put sauver son déjeuner. Le plateau de plastique blanc heurta le sol dans un claquement sonore. Des grains de raisin noir s'éparpillèrent sur le plancher comme les perles d'un collier tandis qu'un tonnerre d'applaudissements unanimes leur parvint de toutes les zones de la cafétéria.

— Pourquoi est-ce qu'il faut que les gens applaudissent quand quelqu'un fait tomber quelque chose ? demanda Jackson, rougissant de l'attention soudaine dont il était l'objet.

Mélodie haussa les épaules. La fille, manifestement habituée à être le centre des regards, envoyait des baisers au public. Dans sa minirobe noire et turquoise, elle avait l'air d'une patineuse olympique.

Quand les applaudissements cessèrent, elle se tourna vers Mélodie, et les coins de sa bouche s'abaissèrent comme on tire un rideau à la fin du spectacle.

— Tu peux pas regarder où tu vas ? grogna-t-elle.

Mélodie éclata de rire. Elle avait l'impression que toutes les disputes de lycéens commençaient par la même phrase.

— Alors ? insista la fille.

— En fait, répliqua Mélodie, rendue plus courageuse par son tee-shirt des Clash, c'est toi qui m'as bousculée.

— C'est faux ! glapit la fille aux minihamburgers. (Sa remarque avait fusé si vite qu'on aurait dit qu'elle avait éternué.) J'ai tout vu et c'est toi qui as foncé sur Cléo.

La « glapisseuse » portait des leggings violets et un bombardier noir bordé de fourrure de la même couleur que ses cheveux. Pas vraiment le genre de tenue qu'on s'attendrait à trouver dans l'État du castor. Ou était-ce plutôt l'État des m'as-tu-vu ?

— C'était un accident, Claudine, expliqua Jackson, manifestement désireux de calmer le jeu.

— J'ai une idée. (Cléo lécha ses lèvres enduites de gloss comme pour déguster son idée.) Tu me donnes ton raisin et nous sommes quittes.

—Sûrement pas! C'était ta faute, répliqua Mélodie d'un ton brusque, surprise de sa propre témérité – et de son affection soudaine pour le raisin.

Elle qui avait passé les quinze dernières années de sa vie à filer son dessert à tous les petits caïds de l'école. Il était temps que ça cesse.

—Écoute bien, Mélonase…

Cléo se pencha vers elle en grinçant des dents.

—Tu sais qui je suis?

Claudine hurla de rire.

—Je connais tout ici. (Cléo ouvrit les bras tout grands, comme si la cafétéria était son royaume. Ce qui était peut-être le cas, mais Mélonase n'était le serf de personne.) Je sais aussi… (Cléo éleva le ton, jouant la scène à l'intention de son public dans la zone bleue.)… que si tu ne me donnes pas ton raisin, c'est là-bas que tu iras déjeuner.

Elle montrait la table libre à côté des toilettes des garçons, incrustée de papier-toilette mouillé et de tablettes de désinfectant écrasées.

Au loin, par-dessus l'épaule de Cléo, Mélodie voyait Candace qui riait avec ses nouveaux amis, flottant dans sa bulle perso joyeuse et pétillante, sans avoir conscience le moins du monde de ce que sa sœur endurait.

—J'attends.

Cléo posa les mains sur ses hanches minces et tambourina des doigts.

La tête de Mélodie se mit à tourner. Son champ de vision réduit affûta sa perception et elle eut une conscience aiguë des traits exotiques de Cléo, qui ressemblait à une princesse égyptienne. *Pourquoi les jolies filles se croient-elles toujours tout permis ? Pourquoi leur beauté fait-elle d'elles des pestes ? Que penserait papa de ce grain de beauté asymétrique qu'elle a sur le coin droit de l'œil ?*

À la vérité, Mélodie ne savait plus quoi faire. Des gens les regardaient. Et Jackson montrait des signes d'impatience. Attendait-il qu'elle cède ou qu'elle résiste ? Ses oreilles se mirent à bourdonner.

—Alors ? demanda Cléo en étrécissant ses yeux bleu pervenche en guise de dernier avertissement.

Le cœur de Mélodie cognait dans sa poitrine, comme s'il voulait se sauver avant que les choses tournent mal. Elle réussit néanmoins à glisser une réponse.

—Pas question.

Claudine hoqueta. Jackson était tendu. Les lycéens de la zone bleue échangèrent un regard effaré : *Elle n'a pas dit ça !* Mélodie enfonça ses ongles dans ses paumes pour ne pas s'évanouir.

—Très bien.

Cléo fit un pas en avant.

—Wouh-wouuuuh.

Claudine enroula un doigt autour d'une de ses boucles auburn, se délectant à l'avance de ce qui allait se passer.

Le premier instinct de Mélodie fut de protéger son visage, que les poings bagués de Cléo semblaient s'apprêter à frapper. Mais son père pourrait réparer n'importe quel dégât, alors elle se planta solidement sur ses jambes et se prépara à recevoir le premier coup. Au moins, les gens sauraient qu'elle ne se dégonflait pas.

— Puisque tu as pris quelque chose qui m'appartient, je vais prendre quelque chose qui est à toi, déclara Cléo.

— Je ne t'ai rien pris, insista Mélodie, mais il était trop tard.

Cléo remit du gloss sur ses lèvres déjà brillantes, se planta sur la pointe de ses compensées et attrapa Jackson pour l'attirer à elle. Tout à coup, elle était en train de l'embrasser.

— Oh, mon Dieu! pouffa Mélodie, soufflée par l'audace de cette fille. (Elle se tourna vers Claudine avec désespoir.) Mais qu'est-ce qu'elle fait?

Claudine fit comme si elle n'avait rien entendu.

— Jackson! hurla Mélodie.

Mais Jackson était déjà parti dans une zone qui n'appartenait qu'à lui : une zone de couleur rouge où les plateaux étaient en forme de cœur.

Se laissant guider par Cléo, il esquissa un pas de danse, un coup d'épaule à gauche, un coup à droite, comme s'ils étaient sur le prime de la *Star Academy*. Pour un garçon si timide, il semblait étrangement à son aise. *Est-ce qu'ils ont une histoire commune? Partagent-ils un secret? une brosse à dents?* Quoi qu'il en soit, Mélodie avait une fois de plus l'impression d'être le dindon de la farce.

Candace avait sans doute raison : Nélodie elle était, Nélodie elle resterait, avec ou sans son nez.

— Waouh!

Cléo reprit son souffle, relâchant finalement Jackson, et reçut une seconde salve d'applaudissements. Cette fois-ci, elle ne salua pas. Elle se contenta de s'humecter les lèvres, de glisser son bras sous celui de Claudine et de se diriger avec nonchalance de la démarche assurée d'un chat satisfait en direction des places libres de la zone blanche.

— J'ai été ravie de faire ta connaissance, Mélonase, lui lança Cléo par-dessus son épaule, laissant une traînée de raisins écrasés dans son sillage.

— C'était quoi, ça? bouillonna Mélodie, échauffée par la centaine de globes oculaires braqués sur elle.

Jackson retira ses lunettes. Son front était couvert d'une pellicule de sueur.

— Est-ce que tu ne serais pas un peu jalouse? ricana-t-il.

— Quoi?

Mélodie se laissa tomber contre une chaise bleue.

Jackson fit claquer ses doigts sur le rythme du morceau de Ke$ha qui venait de démarrer et se mit à danser.

— Moi, ce que j'en dis… (Il croisa une jambe devant l'autre et tourna sur lui-même comme Jim Carrey dans *The Mask*.)… c'est que le vert n'est pas ta couleur.

Sa voix s'était teintée des intonations emphatiques d'un DJ dans une émission nocturne à la radio.

— Je ne suis pas jalouse, répliqua brusquement Mélodie, qui aurait préféré que Cléo se soit contentée de lui arranger le portrait et que les choses en soient restées là.

— « *Stop ta-ta-talking that… Blah blah blah* », chanta Jackson avec Ke$ha.

Il leva les pouces en direction d'une tablée de filles qui chantaient elles aussi.

— J'arrive pas à comprendre que tu sois resté planté là et que tu l'aies laissé…

—… profiter de moi ? (Il haussa un sourcil.) Ouais, c'était vraiment horrible. (Il fit la moue.) Tellement horrible, même, que je vais aller m'asseoir avec elle.

—Tu vas faire ça ?

Jackson pointa un doigt sur elle comme le canon d'un revolver et la bombarda de clins d'œil en série.

—Je vais faire ça.

Et il remonta la piste de raisins écrasés en les envoyant balader à coups de ronds de jambe à la Fred Astaire.

Mélodie balança son plateau sur la table derrière elle. Elle n'avait plus faim. Son estomac était noué comme…

—Un muffin ! hurla une fille.

Tous ceux qui étaient attablés dans la zone bleue s'écartèrent comme si Mélodie avait fait pipi dans la piscine. La zone des allergiques au gluten fut évacuée en moins de deux, la laissant mariner dans ses propres souillures.

Mélodie s'assit. Toute seule. Entourée de plats de quinoa, de millet et de fécule d'amarante abandonnés, elle capta son reflet confus dans l'aluminium bosselé d'un distributeur de serviettes. Son crâne déformé comme une cacahouète ressemblait au *Cri* d'Edvard Munch. En dépit de son nouveau visage, c'est l'ancienne et disgracieuse Mélodie que lui renvoya son image. Et ce n'était pas un tee-shirt des Clash, un numéro de téléphone gribouillé au pastel ou une rhinoplastie qui y changerait quelque chose.

Son regard gris était plombé, ses joues creusées et les commissures de sa bouche affaissées comme si de minuscules plombs de pêche les tiraient vers le bas.

—Super, ta grenade au gluten, gloussa une fille.

Mélodie se retourna vers l'étrangère.

—Quoi?

Une fille avec des taches de rousseur, des vagues de cheveux souples et foncés qui lui arrivaient aux épaules et des yeux verts étroits poussa un soupir. C'était la même fille qui avait suggéré à son petit ami d'utiliser les fesses de son monstre comme porte-stylo.

—J'ai dit super, ta grenade au gluten. Tu t'es débarrassée des bleus comme si c'était un jour de soldes dans les grands magasins. La prochaine fois, essaie de renverser du lait dans la zone orange, pour voir. On appelle ça «un lactolargage».

Mélodie s'efforça de rire, mais ne put que sortir un gémissement.

—C'est quoi ton problème? lui demanda la fille. T'as pas l'air en grande forme pour une Bombe A.

—Une quoi? s'étrangla Mélodie, qui aurait eu grand besoin d'une microseconde de normalité.

—«Une Bombe A», répéta la fille petit format qui avait pris Mélodie en photo et lui avait fait voir des points blancs juste avant l'apparition de Jackson.

—Et c'est quoi «une Bombe A»? demanda Mélodie, mais seulement parce que personne d'autre ne voulait lui adresser la parole et qu'elle en avait assez d'être seule.

—Une Bombe Anatomique, expliqua Taches de Rousseur. Tout le monde dit que tu es la nouvelle la plus canon de la rentrée. Et pourtant…

—Et pourtant quoi?

— Et pourtant, tu te laisses marcher sur les pieds comme une parfaite… (Elle se donna un coup sur le côté de la tête.) Argh. Le mot veut pas sortir.

— Antibombe, répondit Mini-Frange à sa place.

— Oui ! Bien trouvé. (Taches de Rousseur agita ses pouces comme pour taper un texto.) Ajoute ça.

Mini-Frange hocha docilement la tête. Elle extirpa un téléphone de la poche latérale de son attaché-case vert en faux croco, fit coulisser le clavier et commença à textoter.

— Qu'est-ce qu'elle écrit ? s'étonna Mélodie.

— Qui ? Haylee ? demanda Taches de Rousseur, comme s'il y avait plein d'autres filles qui prenaient des notes pendant leur étrange conversation. C'est mon assistante.

Mélodie acquiesça comme si tout ça était super passionnant, puis jeta un coup d'œil de l'autre côté de la cafétéria. Jackson était assis à la table de l'autre et détachait les grains d'une grappe de raisin pour les laisser tomber dans la bouche de la fille. C'était cent pour cent à vomir.

La main de Taches de Rousseur apparut sous le nez de Mélodie.

— Je m'appelle Bekka Madden. Je suis l'auteur de *En Bek et contre tout ou l'histoire vraie d'une fille qui a su retrouver sa popularité après qu'une autre fille – CLÉO pour ne pas la nommer – s'est fait fracasser par Bekka pour avoir chauffé Brett et a ensuite raconté à toute l'école que Bekka était une folle furieuse infréquentable.*

— Waouh ! (Mélodie serra la main qu'elle lui tendait.) Ç'a l'air… circonstancié, dit-elle en riant.

— Ce sera un roman-feuilleton sur téléphone portable. (Haylee replia le clapet du clavier et rangea son téléphone dans sa serviette.) Tu sais, comme au Japon. Sauf que celui-là sera en anglais.

— Plus ou moins, soupira Bekka d'un air qui voulait dire : «Allez trouver une bonne assistante de nos jours.»

Elle s'assit sur la table, mains sous les fesses, et balança distraitement ses UGG contre le dossier d'une chaise bleue.

Haylee humecta ses lèvres glossées de rose malabar en rajustant ses lunettes.

— Et moi, je consigne son combat.

— C'est cool, acquiesça Mélodie, tâchant de paraître encourageante.

Il y avait quelque chose chez Bekka et Haylee qui lui rappelait ce que disait Candace sur le génie et la folie. Le génie inspirait leurs rêves, mais c'était la folie qui leur donnait le cran de les poursuivre. Exactement ce à quoi Mélodie aspirait. Mais elle n'avait plus de rêves géniaux qui vaillent la peine d'être poursuivis maintenant que Jackson avait montré son vrai visage de don Juan, prêt à changer de cible dès qu'une proie plus facile passait à sa portée…

— Moi aussi, j'ai envie de l'écrabouiller, dit Bekka. (Le rouge monta aux joues de Mélodie. C'était si évident que ça qu'elle était en train de les mater ?) On pourrait faire équipe, tu sais.

Les yeux verts de Bekka plongèrent dans ceux de Mélodie.

Haylee sortit son téléphone et se remit à textoter.

— Je ne veux pas me venger, affirma Mélodie en écaillant le vernis transparent d'un de ses ongles.

Ce dont elle avait envie à ce moment précis était en train de fourrer des grains de raisin au fond de la gorge d'une Bombe A à l'autre bout de la cantine.

—Que dirais-tu d'une amie, alors?

L'expression de Bekka réchauffa Mélodie comme un chocolat chaud par un dimanche pluvieux.

—Ça pourrait se faire.

Mélodie rassembla d'une main les mèches de ses cheveux noirs alourdis d'après-shampoing pour les replacer entre ses omoplates.

Bekka fit un signe de tête à Haylee.

L'assistante dévouée repoussa les plateaux contenant les repas sans gluten abandonnés, et fouilla dans son attaché-case dont elle tira une feuille de papier crème qu'elle étala sur la table avant de s'effacer pour laisser Bekka se charger des explications.

—Tu dois promettre de ne jamais flirter avec Brett Redding, de ne jamais sortir avec Brett Redding et de fracasser toute fille qui sortirait avec Brett Redding et…

—Qui est Brett Redding? demanda Mélodie, même si elle avait le très fort pressentiment que c'était le garçon désireux de tourner un documentaire sur la vie des monstres.

—Brett est le petit ami de Bekka. (Haylee se balança d'un pied sur l'autre d'un air rêveur.) Ils sont ensemble depuis la cinquième et ils sont vraiment trop mimi-trognons tous les deux.

—C'est vrai. On est trognons.

Bekka sourit avec un bonheur béat.

L'envie démangea Mélodie comme si un moustique l'avait piquée. Ce n'était pas Brett qu'elle enviait à Bekka, mais un peu de bonheur béat serait le bienvenu.

—Ces derniers temps, il cherche les Bombes A quand il croit que je ne le regarde pas. (Les yeux de Bekka balayèrent les rares élèves encore présents à la cantine comme le faisceau d'un projecteur.) Ce qu'il n'a pas compris, c'est que…

—Bekka a l'œil partout, acheva Haylee, les doigts pianotant sur son clavier.

—J'ai l'œil partout. (Bekka se tapota la tempe, avant de revenir à Mélodie.) Tu signes ce document attestant que tu ne trahiras jamais ma confiance et je t'offre en échange une loyauté à la vie à la mort.

Haylee s'approcha de Mélodie en cliquant sur l'extrémité d'un stylo-bille rouge et argent – celui qui lui servirait à signer si elle acceptait le contrat.

Mélodie fit semblant de lire le document pour ne pas avoir l'air d'une cruche qui signe ses contrats sans les lire, même si c'était le cas. Ses yeux parcouraient les mots sans les voir tandis que son esprit cherchait une raison de refuser cette proposition plutôt inhabituelle. Mais Mélodie manquait d'expérience dans le commerce des amis. Pour ce qu'elle en savait, ça se passait toujours comme ça.

—Ça m'a l'air réglo, déclara-t-elle.

Elle prit le stylo-bille des mains de Haylee, signa et data le document.

—Carte d'étudiant, demanda Haylee en tendant la main.

—Pour quoi faire? s'étonna Mélodie.

—Je dois authentifier le document. (Elle remonta ses lunettes sur son nez épais. Mélodie lança sa carte de Merston High sur la table.) Sympa, la photo, murmura Haylee tout en recopiant les informations qu'il lui fallait.

—Merci, marmonna Mélodie en examinant son image dans le petit rectangle plastifié.

Elle rayonnait comme une citrouille d'Halloween éclairée d'une bougie à l'intérieur. Parce que c'était à Jackson qu'elle pensait quand elle avait pris cette photo… Elle se demandait alors quand ils se reverraient… comment ce serait… Si seulement Mélodie avait pu remonter le temps et dire à la fille à l'air rêveur qui lui souriait dans le carré de plastique ce qu'elle savait maintenant…

Haylee lui rendit sa carte d'étudiant et entreprit de brancher un petit appareil photo numérique sur une imprimante portative. Quelques secondes plus tard, une photo de Mélodie, sans la petite lueur intérieure, fut dûment agrafée en haut à gauche du document et rangée dans l'attaché-case.

—Félicitations, Mélodie Carver. Bienvenue dans notre cercle, dit Bekka en serrant ses deux acolytes dans une embrassade collective. (L'une d'elles sentait la fraise.) Il y a deux règles essentielles. (Bekka pressa un tube de gloss transparent pour s'en badigeonner les lèvres. Elle attendit pour parler que les pouces de Haylee soient en contact avec les touches de son clavier.) Règle numéro un : les amies d'abord. (Haylee entra les mots dans le téléphone. Mélodie hocha la tête. Elle était forcément d'accord.) Règle numéro deux :

(Bekka détacha un grain de raisin d'une grappe sur la table.) toujours se battre pour son mec.

Sur ces mots, elle prit son élan comme une combattante et projeta le grain de raisin à travers la cafétéria… Il rebondit sur les mèches blondes de Cléo.

Mélodie éclata de rire. Bekka lançait déjà un second missile.

Cléo se leva et fusilla ses ennemies du regard. À son tour, elle prit son élan et…

—À terre ! hurla Bekka en entraînant Haylee et Mélodie sur le sol.

Les filles hurlèrent de rire à s'en faire un point de côté comme une averse de ministeaks hachés dégoulinant de mayonnaise s'écrasait sur la table au-dessus de leur tête.

C'était la seconde fois que Mélodie se retrouvait mêlée à une bagarre de cantine dans la même journée mais, cette fois-ci, elle s'amusait comme une folle.

CHAPITRE 8
FRANKIE FAIT DES ÉTINCELLES

Frankie dévala le couloir désert à grandes enjambées, les cuisses échauffées par le frottement du lainage. Elle ne voulait pas attirer l'attention en piquant un sprint, mais il fallait qu'elle arrive la première dans la classe. Elle devait impérativement se trouver une place au fond, aussi loin que possible des yeux du prof sans être marquée absente. Pas besoin d'avoir fait quinze jours de maths pour comprendre que des rumeurs sur l'apparition d'un monstre plus une fille qui avait reçu une décharge électrique à la cafétéria égalaient des ennuis en perspective.

La sonnerie émit son « bip-bip-bip ». Les couloirs s'emplirent de normies rassasiés cherchant la classe de leur premier cours de l'après-midi. Frankie, loin devant tout le monde, se précipita vers la salle 203 pour son cours de géographie. Jusqu'ici, sa vie au lycée ne se déroulait pas du tout comme prévu mais, au moins, elle avait commencé.

— Oh non ! s'exclama-t-elle en entrant dans la classe.

Les tables étaient disposées en cercle! Pas de recoins. Pas de dernier rang. Aucun endroit où se cacher! La couche de fond de teint Absolue Perfection qu'elle avait retouchée avant le déjeuner serait sa seule protection.

—C'est pas vrai, grogna-t-elle entre ses dents tout en s'efforçant de déterminer à quel endroit du cercle elle serait le moins exposée.

De fines étincelles s'échappèrent du bout de ses doigts et crépitèrent le long de la tranche métallique de son classeur habillé de jean rose. Elle choisit une place sous la fenêtre plutôt qu'en face, dans l'espoir d'échapper aux rayons révélateurs du soleil.

—C'est quoi ce cercle?

Un garçon plus mignon que la moyenne venait d'entrer dans la classe. Il portait une chemise blanche, un jean et des chaussures de randonnée. Sa canadienne ressemblait à du cuir et une bonne dose d'aplomb compensait son manque de style.

Il resta sur le pas de la porte, la tête penchée sur le côté comme pour admirer un tableau au Louvre, sauf que c'était Frankie qu'il contemplait.

—J'étais en train de me dire qu'on devrait transformer ce cercle en cœur, lança-t-il tout en s'emparant d'un globe terrestre sur une des étagères pour le faire tourner sur son index comme un ballon de basket.

Frankie baissa les yeux, regrettant de ne pouvoir répliquer sur le même ton. Elle lui aurait balancé un truc un peu osé et aussi cool, genre comme: «Tu sais que je peux graver tes initiales dans ce bureau avec mon doigt?» Mais, au lieu de jouer les Frankie, elle avait écopé du rôle insignifiant de la normie timide assise près de la fenêtre.

Une main dans la poche, l'autre tenant un petit calepin (chacun sait que les mecs cool ne prennent pas beaucoup de notes), le garçon s'avança vers Frankie d'un air crâneur. Il passa lentement devant les cartes et le tableau noir, certainement pour lui laisser le temps de l'admirer.

—La place est libre? demanda-t-il en passant une main dans ses cheveux bruns en bataille.

Frankie hocha la tête. Pourquoi fallait-il qu'il vienne s'asseoir justement à côté d'elle?

—Je m'appelle Holt, dit-il en se laissant tomber sur la chaise de bois.

—Frankie.

—Enchanté.

Il lui tendit la main. Craignant de lui envoyer une décharge électrique, Frankie le salua d'un signe de tête et d'un sourire. Holt lui donna une tape sur l'épaule de sa main suspendue dans le vide, comme si telle avait été son intention depuis le début.

«Bzzzt.»

—Oh, oh! (Il secoua son poignet, l'air amusé.) Tu es une vraie brune explosive.

Merde! Frankie se détourna immédiatement et ouvrit son manuel de géographie, se concentrant sur l'introduction pour calmer sa respiration. La classe se remplit rapidement et deux filles en pleine discussion s'installèrent sur les deux chaises voisines de la sienne.

—Je te jure, dit celle qui portait une mini style lolita gothique rayée rose et noire, et gardait les lèvres serrées contre ses dents comme si un nouvel appareil la gênait pour parler. Y avait que dalle pour les végétaliens à la cafète.

Elle secoua un tube étiqueté « Supplément en fer » et en sortit deux comprimés qu'elle avala sans eau. Ses yeux étaient noyés d'eye-liner noir.

—T'aurais dû tenter le coup avec la purée, répondit sa copine, une blonde à la peau claire avec un accent australien.

Vêtue d'un pantalon marron bouffant resserré par des liens, d'un tee-shirt orange moulant et de gants rayés en tricot qui lui montaient jusqu'aux coudes, on aurait dit qu'elle s'était habillée dans le noir.

—Je déteste l'ail, répliqua Végétalienne en croisant les jambes, révélant une paire de bottes lacées lui arrivant aux genoux qui auraient rendu gaga Lady Gaga elle-même.

—Pas autant que les miroirs, meuf, plaisanta l'Australienne en repoussant un fouillis de bracelets style hippie pour roulotter le haut de ses gants et enduire la peau sèche de ses avant-bras de lotion corporelle parfumée à la noix de coco.

—Aide-moi, lui demanda Végétalienne en écartant ses mèches de cheveux roses et noirs de son visage.

L'Australienne referma son tube de crème avec un claquement sec et se pencha vers sa copine dont elle entreprit de nettoyer les joues avec son pouce.

—Pas évident, murmura-t-elle. Tu t'es carrément mis du rouge à lèvres sur les pommettes. On dirait que t'as eu un accident de paintball.

Elles éclatèrent de rire.

Frankie retourna à son manuel pour s'obliger à ne pas les regarder. Mais elle avait du mal à détacher les yeux de ces deux filles. Les plaisanteries qu'elles échangeaient comme une balle de ping-pong étaient le luxe de l'amitié – un luxe que Frankie mourait d'envie de connaître.

—Dépêche, murmura Végétalienne. Je veux pas qu'il me voie comme ça !

« Il » ? Il n'y avait qu'un seul garçon dans la classe et il était assis à côté de Frankie, lui soufflant langoureusement des « brune explosive » à l'oreille pour attirer son attention.

Frankie regardait droit devant elle et croisa accidentellement le regard d'un garçon ridiculement beau qui venait d'entrer dans la classe. C'était le même garçon qu'elle avait essayé de ne pas mater à la cantine. Ce qui était positivement impossible. Il portait un tee-shirt à l'effigie de son grand-père Victor. C'était forcément un RAD ou un ami des RAD. Dans les deux cas, ça voulait dire qu'elle avait sa chance.

—Dis donc, Sheila, l'appela l'Australienne, tirant Frankie de son rêve éveillé.

—Je m'appelle Frankie, répondit-elle poliment.

Végétalienne se pencha en avant.

—Lagoona appelle toutes les filles Sheila quand elle ne connaît pas leur nom. C'est un truc australien.

—C'est bien moi, opina Lagoona avec un sourire avenant. Alors, Frankie donc, on dirait que t'es bien branchée maquillage, et je me demandais si ma pote Lala pouvait t'en emprunter un peu.

—Bien sûr. (Frankie fouilla dans sa besace frappée du slogan «Le vert est le nouveau noir», dont elle tira une petite trousse à maquillage dorée Absolue Perfection estampillée «eye-liners».) Servez-vous.

—Elle est pleine d'eye-liners? s'étonna Lala, les dents serrées contre ses lèvres.

Frankie acquiesça, hésitant entre la fierté et la honte.

Mélodie, la fille qu'elle avait électrifiée à la cafétéria, arriva en courant juste derrière la prof et s'assit en face de Frankie. Elle lui sourit cordialement. Cette normie essayait-elle de lui dire : «Je connais ton secret?»

Frankie remonta son col roulé pour ne pas être trahie par ses boulons cervicaux.

La prof, une femme aux cheveux blonds et bouclés coupés court vêtue d'un twin-set turquoise, frappa dans ses mains.

—On y va! (Elle traça un large cercle au tableau dont elle frappa le centre de plusieurs coups de sa longue craie.) Voici notre monde. Il est rond, tout comme la disposition de vos tables. Et j'ai bien l'intention de vous montrer…

La craie se cassa en deux et fut projetée dans la classe.

—Ahhh! (Le RAD potentiel porta une main à son cou et s'affala par terre.) Je suis touché!

Tout le monde se mit à rire. Frankie se pencha en avant avec inquiétude.

—Ça suffit, Brett.

La prof qui n'avait pas d'humour ramassa le morceau de craie tombé par terre en soupirant.

Brett. Brett et Frankie. Brankie. Frett. Frankie B., comme la marque de jeans… De quelque façon qu'elle accolait leurs deux prénoms, ils allaient bien ensemble.

Il se rassit sur sa chaise et planta son regard dans celui de Frankie, provoquant chez elle une nouvelle série d'étincelles. Pendant un quart de seconde, elle eut l'impression qu'il avait fait son petit numéro pour ses beaux yeux.

Pendant les quarante-cinq minutes suivantes, elle s'avisa de plusieurs choses : que Lala en pinçait pour Holt ; que Holt avait flashé sur sa « brune explosive » ; que Lala pouvait garder Holt parce qu'il avait beau être mignon, il n'avait pas le charme mystérieux de Brett ; et que le RADar de Mélodie devait être en train d'émettre des signaux tous azimuts parce qu'elle ne quittait pas Holt des yeux, qui, lui, ne demandait qu'à goûter de nouveau au coup de foudre. Il fallut à Frankie une énorme dose de self-control – c'était comme d'essayer de cesser de penser, comme de ne plus pouvoir respirer, et donc de mourir – pour ne pas s'illuminer comme les casinos de Las Vegas.

Quand la sonnerie annonçant la fin des cours fit enfin entendre son « bip-bip-bip », elle bondit de sa chaise et se rua en direction des toilettes des filles. Lala et Lagoona l'interpellèrent, mais elle ne leur prêta pas attention. Frankie n'était pas sûre d'avoir encore assez de volonté pour retenir ses étincelles une seule seconde de plus.

Elle fit irruption dans les toilettes, s'enferma dans la première cabine et s'autorisa enfin à décharger ses étincelles. Heureusement qu'il n'y avait personne, parce que toute l'électricité qu'elle avait accumulée à force de se noyer dans les yeux de Brett, et d'endurer les sollicitations de Holt et le regard de Mélodie jaillit de ses doigts d'un seul coup. Elle tira plusieurs fois la chasse pour couvrir le bruit.

Soulagée et vidée, elle sortit des toilettes avec un soupir harassé.

—J'ai comme l'impression que notre Sheila a un volcan sous la ceinture, commenta Lagoona avec un sourire complice. (Elle tapota son ventre plat.) T'inquiète, ça m'arrive aussi, meuf.

Lala gloussa, une main devant la bouche.

—Ouais.

Frankie se lava les mains. Elle préférait encore les laisser croire qu'elle avait les boyaux en feu plutôt qu'elles puissent soupçonner la monstrueuse vérité.

—Tu as oublié ça.

Lala agitait la trousse de maquillage Absolue Perfection comme un étendard.

—Oh! merci. (Frankie mit une main là où son cœur aurait dû se trouver.) Je serais perdue sans ça.

—Pourquoi? (Lagoona entortilla une boucle de cheveux blonds autour d'un doigt ganté de laine.) Tu es tellement jolie. Tu n'as pas besoin de tout ce ravalement de façade.

Lala opina du chef.

—Merci. (Frankie se rengorgea intérieurement.) Je vous retourne le compliment, les filles, ajouta-t-elle avec sincérité. C'est juste que j'ai, comment dire, des problèmes de peau.

—Pareil. (Lagoona se dirigea vers le robinet pour s'asperger la nuque d'eau.) Sécheresse cutanée sévère.

—Tu verrais toutes les crèmes qu'elle a chez elle, nota Lala avec envie. Sa chambre, on dirait une annexe Sephora.

—Et la tienne du Kangourou du Cachemire, répliqua Lagoona, dégoulinante d'eau.

—Je connais pas, c'est quoi? demanda Frankie.

—Aucune idée, gloussa Lala. Alors, c'est quoi ton « Kangourou du Cachemire »?

—Je viens de l'inventer. (Lagoona éclata de rire.) J'ai pas trouvé de nom de magasin qui ne vendrait que des pulls en cachemire.

—Elle dit ça parce que je suis frileuse. (Lala referma ses bras autour de sa robe pull.) Et c'est vrai que j'ai beaucoup de cachemires.

—Toi aussi, tu es frileuse? demanda Frankie à Lagoona. C'est pour ça que tu portes des gants?

—Nan. (Lagoona rejeta cette idée d'un geste de la main.) Juste une peau de crocodile. (Elle se tourna vers Lala.) Hé! si on allait au spa ce week-end?

—Tu veux dire, si je te faisais profiter encore une fois d'une invitation gratuite? la charria Lala.

—Sois cool, ma goule. Ce truc coûte la peau des fesses et j'ai pas les moyens de prendre une carte. Mais si je fais pas bientôt trempette, ma peau va virer au cactus.

—Essaie la pince à épiler, suggéra Lala.

—À condition que tu tentes la muselière à dingo.

Frankie gloussa, réjouie par la vivacité métaphorique de leurs échanges.

—Tiens, on devrait emmener Frankie avec nous, proposa Lala sans desserrer les lèvres. Je parie qu'une séance d'UV dans le solarium résoudra tes problèmes de peau.

—Excellent! s'exclama Lagoona en se grattant le bras. Un teint de pêche, ça te filera la pêche pour essayer de chourer le beau Brett à sa Sheila.

—Quoi?

Frankie serra les poings pour retenir ses étincelles.

—Je t'ai vue le mater, la taquina Lagoona en ouvrant la porte des toilettes.

—Oups.

Frankie fit semblant d'avoir l'air gênée, mais le sentiment qui l'emportait en elle était la joie de participer bientôt à leur partie de ping-pong.

—C'est bon pour samedi, alors? demanda Lala comme elles se mêlaient aux autres élèves dans le couloir.

—Ça marche pour moi.

Frankie hocha la tête de bonne grâce. Elle n'avait pas la moindre idée de ce que lui apporterait une séance d'UV dans le solarium, mais si c'était ce que faisaient les normies pour attirer les garçons comme Brett, Sheila était partante.

CHAPITRE 9

LE COUP DU PATIN

Le vendredi soir, à la fin des cours, Bekka tapa dans la main de Mélodie pour fêter ça.

— Tope là. Tu as survécu à ta première semaine à Merston High.

Ses joues parsemées de taches de rousseur arboraient la même teinte vieux rose que son gilet *oversize*, porté sur un slim noir et une paire de bottes en caoutchouc Wellington jaunes lui arrivant aux genoux. Elle offrait à la vue une explosion de couleurs rafraîchissante par cet après-midi pluvieux.

— Je sais. (Mélodie accrocha son sac à dos kaki des surplus de l'armée à son épaule.) J'ai pas vu le temps passer.

— Ç'a l'air de t'étonner, fit remarquer Bekka en s'engageant dans le couloir bondé d'élèves.

Haylee suivait derrière et consignait leur conversation. Ses Crocs fourrées en plastique orange couinèrent tandis qu'elle pressait le pas pour se maintenir à leur hauteur.

— Ben oui, ça m'étonne. (Mélodie remonta la fermeture à glissière de son gilet noir à capuche comme elles approchaient de la sortie.) Je me suis fait piquer mon mec à l'arrache, et la semaine aurait pu me paraître très longue, alors qu'en fait je me suis bien amusée.

Elle sourit au souvenir de la bataille de nourriture avec Cléo, des soirées marathons à échanger des mails avec Bekka, et des séances de planque puériles avec Candace pour surveiller la maison de Jackson. Pas d'activités suspectes… et même pas d'activité du tout.

— Rectification, les interrompit Haylee. Techniquement, c'est Jackson la victime, pas toi.

Mélodie avait déjà appris à se montrer patiente avec Haylee, et même à apprécier occasionnellement sa manie de l'ordre et de la précision. Mais ce n'était pas une de ces occasions.

— De quoi est-il victime, celui-là ? souffla Mélodie d'un ton brusque en prenant garde à ne pas élever la voix pour ne pas donner aux troisièmes qui passaient dans le couloir une raison de plus de répandre des ragots.

Le truc, c'était de faire profil bas après ce que Mélodie et Bekka en étaient venues à appeler le « Mélodrame de lundi », et qui s'était rapidement transformé en « Mellydrame de lundi ». Jusque-là, elle avait assuré. Jeter un atlas à la tête de Jackson alors qu'il flirtait en mode rapproché avec cette Frankie en cours de géographie aurait pourtant été jouissif. Et le frapper à coups de boules à neige avec la tour Eiffel à l'intérieur pendant qu'il embrassait Cléo en cours de français aurait été extrêmement cathartique. Mais elle s'était abstenue. À la place, elle avait fait l'œuf : une coquille dure à l'extérieur et un magma gluant à l'intérieur. Alors que Haylee puisse insinuer que ce chaud lapin

112

de Jackson était une victime, c'était aussi ridicule qu'un singe avec un costume.

—Melly a raison. (Bekka fit volte-face pour regarder Haylee.) C'est elle la victime dans cette affaire.

Mélodie remercia Bekka d'un sourire en se demandant ce qui lui faisait le plus plaisir : être soutenue par sa nouvelle amie ou qu'elle l'appelle par son diminutif.

—Ce n'est pas Mélodie la victime, persista Haylee, dont les lunettes se couvrirent de buée sous le feu de la certitude. C'est Jackson. Regardez !

Elle tendit la main vers les doubles portes devant lesquelles une grappe d'élèves s'étaient rassemblés en attendant une éclaircie. Ils parlaient à voix basse comme des entrepreneurs des pompes funèbres, visiblement dégoûtés d'être retenus à la frontière les séparant du monde libre. Au milieu de ce groupe, seuls deux élèves semblaient se moquer de la pluie : Cléo et un garçon bronzé et musculeux avec des lunettes noires et un bonnet de ski à rayures vertes et blanches, qui échangeaient un baiser langoureux.

—J'hallucine ! s'exclama Mélodie en portant une main à sa bouche.

—Vous voyez ? leur demanda Haylee, avec une pointe de fierté. Cléo a chauffé Jackson, et maintenant elle le laisse tomber. C'est donc bien lui la victime.

—Elle n'a pas tort, admit Bekka, soudain déçue.

—Tu veux que je consigne ça dans les notes ? questionna Haylee en se balançant d'avant en arrière sur la pointe des pieds tout en tripotant l'extrémité de son écharpe en peluche fuchsia.

—Nan, répondit Bekka avec dédain.

Haylee cessa de se balancer.

—C'est qui, ce type?

Mélodie fit semblant de s'arrêter pour boire à la fontaine à eau afin de mieux le voir.

—Il s'appelle Deuce, expliqua Bekka, faisant semblant de boire à son tour. Il passe tous les étés en Grèce avec sa famille. Il vient juste de rentrer. Il n'est pas aussi beau que Brett, mais il est quand même super canon.

—Et c'est le mec de Cléo, ajouta Haylee. Ils sont très exclusifs quand il est en ville.

—Jackson n'a plus qu'à se trouver quelqu'un d'autre pour le bal, fit remarquer Bekka en décollant le ruban de papier qui masquait l'affiche du bal de rentrée au-dessus de leurs têtes, dont elle fit une boulette entre ses doigts qu'elle jeta par terre.

—Oui, eh bien moi aussi.

Mélodie serra les lèvres et se dirigea vers la sortie. Un petit peu de pluie ne lui ferait pas de mal. Et personne ne verrait ses larmes.

—Hé! (Bekka s'illumina.) Tu devrais lui faire le coup du patin pour te venger du baiser que Cléo a donné à Jackson.

—Ah! fulmina Mélodie, tellement l'idée lui parut absurde.

Tout le monde se tourna vers elles, y compris Cléo et Deuce. Question profil bas, elle repasserait.

—Fais-le, chuchota Bekka.

—Pas question, marmonna Mélodie sur le même ton. Vas-y, toi. Tu as une revanche à prendre autant que moi.

—Oui, mais toi, tu n'as pas de petit ami attitré.

—Merci de me le rappeler, rétorqua Mélodie avec un sourire amer.

—Hé! Mélonase. (Cléo se rapprocha, les commissures de ses lèvres hyperactives relevées avec délice.) Justement, je te cherchais.

Aussi fabuleuse que Rihanna dans ses chaussettes en lamé brun à hauteur de genou, sa minirobe moulante en denim et ses compensées dorées, Cléo monopolisa l'attention de tous les élèves rassemblés devant les portes. Même Bekka n'avait d'yeux que pour elle et dévisageait son ennemie mortelle d'un regard où l'envie le disputait au mépris.

—Pourquoi? demanda Mélodie, reprenant le rôle de l'œuf même si elle sentait bien que sa coquille pouvait craquer d'un instant à l'autre.

—Je voulais juste te dire… (Cléo s'aspergea le cou d'une vaporisation de parfum ambré et se pencha vers Mélodie pour lui murmurer :)… que tu peux reprendre ton petit copain bigleux. J'en ai terminé avec lui. (Mélodie reçut les mots susurrés à son oreille comme un coup de poing à l'estomac.) Attends un peu.

Cléo se redressa, ses yeux pervenche ayant repéré quelque chose au loin. Mélodie se retourna pour jeter un coup d'œil par-dessus son épaule. C'était Jackson. Il s'avançait vers elles, un bouquet de fleurs en céramique qu'il avait dû fabriquer en cours d'arts plastiques à la main. Ses lunettes dissimulaient l'expression de son regard, mais Mélodie comprit à sa démarche hésitante qu'il était nerveux.

—J'en ai peut-être terminé avec lui… (Cléo passa sa langue sur ses lèvres glossées)… mais la réciproque n'est manifestement pas vraie. (Elle fit la moue et soupira.) Pauvre chéri. Regarde ces fleurs ridicules. Aucune fille ne serait assez bête pour choisir le geek quand elle peut avoir le Grec. (Cléo ébouriffa les cheveux noirs de Mélodie avec condescendance.) Sauf toi, bien sûr.

Elle éclata de rire.

Mélodie fixa Cléo, le cœur battant comme un tambour de guerre. Cléo soutint son regard, refusant de céder, quelle que puisse être la vraie raison de leur rivalité. *Une question de territoire ? Le statut de Bombe A ? Une grappe de raisin ?* Mélodie tenta de se persuader que Cléo était l'archétype de la peste qui voulait montrer à une nouvelle qui était le chef. Qu'elle ferait mieux de ne pas répondre à son agressivité. De se montrer plus raisonnable. De laisser tomber. De fuir les ennuis. De faire profil bas. De mettre son *ego* dans sa poche, et son portable par-dessus. De passer à autre chose. D'oublier tout ça…

Et puis Cléo adressa un clin d'œil à Jackson. Pas parce qu'il lui plaisait, mais parce qu'elle ne voulait plus de lui et qu'il plaisait à Mélodie.

«Crac!»

Sans prévenir, la coquille de Mélodie céda d'un coup, exposant ses entrailles. Mais au lieu de se répandre en une bouillie visqueuse, elle écarta Cléo, marcha sur Deuce et l'attira contre elle. Sans savoir ce qu'elle faisait, elle chercha ses lèvres et…

Le silence soudain entrecoupé de halètements indiqua à Mélodie qu'elle ne rêvait pas. Il y eut ensuite les lèvres préalablement glossées de Deuce qui cessèrent de résister et répondirent à son baiser. Et l'odeur de cuir de sa veste. Puis elle ouvrit les yeux un court instant et aperçut son propre reflet dans les lunettes de soleil de Deuce, et celui de la moitié du lycée derrière elle…

Elle était réellement en train de lui rouler un patin!

Mélodie recula. Au lieu de songer aux félicitations de Haylee et Bekka qui ne manqueraient pas de lui taper dans la main, au respect des autres élèves que lui vaudrait cette action d'éclat, à la délicieuse humiliation qu'elle venait d'infliger à Cléo ou au mal qu'elle pouvait se faire à elle-même, elle ne pensait qu'à Jackson… et se demandait quel effet ça lui faisait.

—Waouh-wouuuuuuh! braillèrent Bekka et Haylee.

C'était la première fois qu'on l'acclamait depuis qu'elle avait cessé de chanter.

—Je suis désolée, murmura doucement Mélodie à l'intention de Deuce.

—Pas moi, chuchota-t-il en souriant.

—Pas mal. (Cléo frappa lentement ses mains l'une contre l'autre pour applaudir sa performance improvisée.) Essaie d'avoir l'air moins coincée la prochaine fois.

Elle faisait de son mieux pour ne pas avoir l'air affectée, mais ses yeux embués de larmes disaient le contraire.

Mélodie ne répondit rien. Elle chercha des yeux le bouquet en céramique de Jackson dans les mains de Cléo, dont les poings bagués et serrés étaient vides et n'exprimaient que sa colère. Jackson était parti.

—Tu vas bien? demanda Cléo à Deuce comme s'il venait de se faire agresser.

Son expression était tendue. Elle s'agrippait à son calme apparent comme un cavalier à son taureau dans une épreuve de rodéo.

—Je… je ne sais pas. (Deuce semblait sonné et passa une main sur son front bronzé.) Qu'est-ce qui s'est passé? demanda-t-il en s'appuyant contre le mur comme s'il allait s'évanouir.

Il embrassait peut-être bien, mais c'était un très mauvais acteur.

—On peut respirer, ici? bouillonna Cléo, obligeant les badauds à se disperser en petits groupes.

Mélodie poussa les battants de la porte, ayant désespérément besoin d'air. Au lieu de la pluie cinglante et rafraîchissante qu'elle espérait, elle reçut en pleine figure un air froid et visqueux comme une serviette mouillée. Une épaisse nappe de brouillard avait envahi le parking devant le lycée. Les phares des pick-up des élèves qui rentraient chez eux coloraient l'asphalte glissant comme un surligneur géant et les essuie-glaces luttaient sans relâche contre les trombes d'eau qui tombaient du ciel.

Mélodie se moquait bien d'être mouillée, car elle ne ressentait plus rien.

—Attends-nous, super star, l'appela Bekka, descendant les marches en pataugeant dans ses Wellington jaunes, Haylee sur ses talons.

Mélodie s'immobilisa brusquement. Pas pour attendre Bekka, mais parce qu'elle venait d'apercevoir quelque chose à côté de ses Converse noires détrempées. Quelque chose qui méritait qu'elle s'y arrête.

—Oh, oh! grommela Bekka.

Haylee hoqueta.

Aucun mot ne sortit de la gorge de Mélodie.

Tout ce qu'il y avait à dire était gravé d'une écriture serrée sur un des pétales du bouquet de céramique qui gisait, brisé, sur le sol.

« Pour Mélodie. »

CHAPITRE 10

TOUT FEU TOUT FLAMME

Le samedi, il pleuvait toujours. Frankie ouvrit son parapluie vert gazon de la taille d'un planétarium et s'engouffra sous les intempéries. Malgré la couche épaisse d'Absolue Perfection Marine – la ligne waterproof – qu'elle avait appliquée, la lumière du jour filtrant à travers le tissu éclaira sa main d'un reflet menthe à l'eau.

Ah!

Elle mourait d'envie de partager l'ironie de la chose avec les filles dans la Cadillac Escalade noire, mais c'était impossible. Elle devait se faire passer pour une normie, comme le lui rappelait la présence silencieuse de ses parents qui l'avaient accompagnée sur le pas de la porte pour la regarder partir.

Elle se retourna pour leur faire un signe de la main.

—Au revoir.

Viktor et Viveka agitèrent également la main, mais l'inquiétude transparaissant dans leurs yeux gâchait les sourires qu'ils affichaient.

—Amuse-toi bien à la bibliothèque, lui lança Viveka par-dessus le fracas du tonnerre en resserrant son foulard noir autour de son cou.

—Merci, répondit Frankie.

Une minuscule étincelle électrique s'échappa de ses doigts et remonta le long du manche de son parapluie. C'était la première fois qu'elle leur mentait et c'était encore pire que ce qu'elle avait imaginé. Sordide. Pesant. Un grand moment de solitude. Mais s'ils avaient su qu'elle allait dans un spa de normies avec Lagoona, Lala et deux autres filles hyper voltage qu'elle avait aperçues au lycée mais ne connaissait pas encore, ils se seraient affolés de crainte qu'elle dévoile sa peau. Et quand Lala lui avait dit que les enfants mentaient à leurs parents depuis la nuit des temps, Frankie avait décidé de tenter le coup. Après tout, Vik et Viv voulaient qu'elle se comporte comme une normie, non? Et si c'était ce que faisaient les normies...

Lagoona sortit la tête par la fenêtre côté passager. Elle avait empilé ses boucles blondes sur le haut de son crâne comme du caramel mou et ses traits angéliques étaient exempts de maquillage.

—Bien le bonjour, monsieur et madame Stein, les salua-t-elle des deux mains à la fois, révélant une paire de longs gants violets.

—Bonjour, Lagoona, répondirent-ils.

Ils parurent instantanément soulagés. Frankie sourit. Ses parents avaient l'air de connaître tous les gens du quartier. Et, bientôt, il en irait de même pour elle.

—Que pensent ton oncle et ta tante de cette pluie ? s'enquit Viktor avec une pointe de familiarité.

—Ils sont ravis, vous pensez bien.

Lagoona ouvrit toute grande la bouche, exposant son visage au ciel couvert. Frankie enviait sa liberté et se languissait du jour où elle pourrait, elle aussi, goûter à la caresse de la pluie sur sa peau nue. Mais en attendant…

Elle s'engouffra dans la Cadillac avant de ruiner son maquillage, et fit de son mieux pour refermer son parapluie sans inonder l'intérieur en cuir fauve de ce qui avait tout d'une voiture de luxe embaumant l'ambre.

—Waouh ! (Elle posa sa besace « Le vert est le nouveau noir » à ses pieds.) Trop géniale ta bagnole.

—Merci, répondit Lala avec un sourire qui ne dévoilait pas ses dents.

—Ses parents l'ont achetée aux BeyonJay, plaisanta Lagoona.

—On ne dit pas plutôt les Jay-B ? fit remarquer la fille aux cheveux noirs à côté d'elle.

—J'aime bien les Jayoncé, renchérit l'autre fille assise côté fenêtre.

Elles éclatèrent toutes de rire.

—Je m'appelle Frankie.

Elle les salua d'un sourire, se gardant bien de leur serrer la main.

—Cléo, se présenta la fille assise à côté d'elle. (Elle avait un regard triste de la même couleur que son tee-shirt bleu électrique dénudant les épaules et de grosses mèches blondes top voltage dans ses cheveux noirs. Frankie se demanda comment une telle beauté exotique pouvait avoir l'air tellement déprimée. Qu'est-ce qui pouvait chagriner une fille si spectaculaire? Ses leggings imprimés tigre étaient peut-être trop serrés?) Je ne savais pas que M. et Mme Stein avaient une fille.

La fille assise de l'autre côté de Cléo se mit à glousser.

—Tu parles de moi? (Frankie se tortilla, soudain mal à l'aise. Cléo leva ses sourcils parfaitement dessinés et hocha la tête d'un air qui signifiait: «De qui d'autre pourrais-je bien parler?») Oui. J'étais scolarisée à domicile jusqu'ici, tu vois…

—Hé! Frankie, l'interrompit Lagoona. Tu connais Claudine?

Claudine se détourna de la fenêtre.

—Salut, dit-elle en déchirant l'emballage d'un paquet de bouchées de dinde fumée bio.

Elle était tout aussi impressionnante que Cléo – des yeux mordorés, une masse de boucles auburn, de longs ongles manucurés laqués de vernis bronze – avec un côté plus sauvage, moins sophistiqué. Un style moins exotique aussi: très américaine, avec une touche de glamour hollywoodien à l'européenne. Son blazer noir ajusté, son sweat à capuche lilas, son slim en jean brut et ses brassées de bracelets à pampilles de plastique blanc, tout ce qu'elle portait semblait sorti tout droit d'un catalogue Gap. Sauf l'étole de fourrure fauve qui dépassait du col de son blazer. Frankie transpira pour elle en la voyant. Lala avait réglé le chauffage de sa voiture sur la température de la planète Mercure.

—C'est sympa de vous connaître toutes les deux.

Frankie leur sourit en refermant les bras sur sa robe pull à col roulé d'une horrible couleur chair. Le coloris était raccord avec son fond de teint, au cas où il aurait coulé. La coupe, très collet-monté, était destinée à couvrir sa peau. Ses leggings noirs et ses bottes au-dessus du genou à talons plats étaient le résultat d'une longue négociation avec Viveka que Frankie avait heureusement remportée. Sa mère espérait-elle vraiment lui faire aussi porter des collants couleur chair ? C'était peut-être bon pour une gamine de deux ans dans une procession de la semaine sainte, mais Frankie était une grande fille qui voulait se faire des amies.

—Prêtes, les filles ?

Lala tourna le bouton du volume de l'autoradio et un morceau des Black Eyed Peas retentit dans les haut-parleurs.

I gotta feeling that tonight's gonna be a good, good night…

—Prêtes ! hurlèrent-elles à l'unisson.

Lala enfonça l'accélérateur et quitta l'impasse des Stein dans un crissement de pneus.

I gotta feeling that tonight's gonna be a good, good night…

Les filles furent projetées en arrière dans un éclat de rire.

—Oh, oh ! je sens que ça va plaire à tes darons.

Lagoona se mit à danser sur son siège en rythme avec les pulsations.

—Je m'en fiche, dit Frankie en haussant les épaules.

Elle ne voulait pas penser à ses parents. Elle ne voulait pas penser à la couleur de sa peau, aux normies ni aux picotements dans ses boulons dus à sa charge matinale. Elle voulait juste faire l'expérience d'une journée au spa avec des copines. Pas à travers un implant mémoriel ou en téléchargeant un film en VOD. Elle voulait vivre cette journée pour de bon.

La respirer. En sentir l'odeur. La ressentir. Et s'en souvenir pour toujours.

— Hé ! La. (Claudine se pencha en avant.) Tu pourrais pas baisser un peu le chauffage ? Ma dinde fumée tourne à la blanquette là-derrière.

Frankie sourit. Il faisait vraiment une chaleur étouffante.

— Tu n'as qu'à enlever ton col de fourrure, suggéra-t-elle à Claudine, pour leur montrer qu'elle n'était pas trop timide pour se mêler à la conversation.

— Ahhhhhh ! brailla Lagoona. Ne me dites pas qu'elle a fait *ça* !

Tout le monde éclata de rire sauf Claudine, qui fusilla Frankie du regard en grommelant un avertissement entre ses dents du genre : « Fais gaffe, la nouvelle. »

— Excuse-moi, marmonna Frankie qui aurait voulu pouvoir effacer ce qu'elle avait dit qui avait pu fâcher Claudine. C'était pour te rendre service. (Elle pinça le col en lainage du pull qui lui servait de sac de couchage.) Je crève de chaud avec ce col roulé, et je me disais que tu pourrais aussi bien… (La chaussure dorée à semelle compensée de Cléo vint cogner son tibia.) Aïe !

Frankie lâcha une bordée d'étincelles.

Cléo et Claudine échangèrent un regard.

Frankie glissa rapidement ses mains sous ses fesses pour étouffer l'afflux d'électricité.

— Pourquoi tu m'as donné un coup de pied ?

— Pour t'empêcher de te mettre dans une situation encore plus délicate, expliqua Cléo.

—Quoi? questionna Frankie en se penchant pour frotter son tibia endolori.

—Et Cléo sait de quoi elle parle.

Lala éteignit subitement la radio.

—Qu'est-ce que tu veux dire par là?

—Que les situations délicates, ça te connaît, n'est-ce pas? déclara Lala en s'arrêtant à un feu rouge.

On n'entendait plus que le grincement des essuie-glaces dans l'habitacle.

—Mais encore? demanda Cléo, comme si elle connaissait déjà la réponse.

Les yeux noirs de Lala croisèrent ceux de Cléo dans le rétroviseur.

—Tu as passé la semaine à rouler des pelles devant tout le monde au mec qui m'intéresse.

Frankie aurait voulu savoir de qui elles parlaient, mais décida qu'il valait mieux se taire. Allez savoir qui elle aurait pu encore vexer.

—Tu penses sérieusement que j'ai embrassé ce garçon pour le plaisir? questionna Cléo, semblant sincèrement peinée.

—Ben oui! explosa Lala.

Le feu changea de couleur.

—C'est vert, dit Lagoona en donnant un léger coup de coude à Lala.

Celle-ci appuya en douceur sur l'accélérateur et traversa le carrefour ruisselant d'eau, les larmes perlant entre ses longs cils noirs.

—La, c'est pour toi que j'ai fait ça. (Cléo posa une main sur l'épaule revêtue de cachemire rose de son amie.) Il traînait avec cette nouvelle fille, Mélonase, et… bon…

—Quoi ? renifla Lala. Elle est plus jolie que moi ?

—Non ! s'exclamèrent ensemble Lagoona, Claudine et Cléo.

La plupart des gens auraient sans doute trouvé Mélodie plus jolie, sa beauté classique l'emportant sur le style emo un peu baroque de Lala. Mais sous ses vêtements de lolita gothique, derrière ses yeux noyés d'eye-liner noir, Lala dissimulait un sang-froid à toute épreuve. Plus sage que les filles de son âge, elle cachait une âme séculaire sous les charmes de la jeunesse. Ce mélange intrigant laissait penser à Frankie que rien ne lui était impossible.

—La, tu es tellement plus intéressante que cette Mélonase, cracha pratiquement Cléo.

—C'est bien vrai, renchérit Claudine en se fourrant un morceau de dinde dans la bouche.

—Mais elle avait des vues sur lui, insista Cléo. Et si je n'étais pas intervenue rapidement pour les séparer, tu aurais pu faire une croix dessus pour la seconde année d'affilée.

Frankie éprouva un nouveau respect pour Cléo. Belle, loyale et altruiste, elle faisait honneur aux normies.

—Holt sait très bien que je suis avec Deuce, poursuivit Cléo. Il sait parfaitement qu'un baiser de moi ne veut rien dire. Mais Mélonase ne le sait pas. Et elle est…

—Plus jolie que moi, soupira Lala.

—Elle n'est pas plus jolie que toi ! répétèrent les filles.

—Et moi, tu crois que je me sens comment? soupira à son tour Cléo. Mélonase a embrassé Deuce devant tout le monde pour se venger et…

Sa voix se brisa.

—Il n'a pas aimé ça, déclara Claudine sur un ton péremptoire, comme si ce n'était pas la première fois qu'elles avaient cette conversation. Il était sous le choc, c'est tout.

—Je sais, je sais.

Cléo tapota le coin de son œil avec son tee-shirt bleu et ravala les larmes qu'elle avait essayé de retenir jusqu'ici.

—Bon, d'accord, je te crois, se rendit Lala. De toute façon, ça m'est égal. Il ne m'intéresse plus. Tu as vu comme il transpirait après ce baiser? J'aurais presque pu me voir dans son front tellement il brillait.

—Dans tes rêves, la taquina Lagoona.

Elles se mirent toutes à rire.

Se sentant soudain de trop, Frankie tourna la tête vers la fenêtre battue par la pluie. Elle croisa le regard d'un type émacié et mal rasé au volant d'une Kia blanche dont le doigt fouillait désespérément l'intérieur de son nez pour en extraire un objet qui lui résistait. Heureusement, Lala tourna à gauche avant que Frankie ait pu voir de quoi il s'agissait.

—On est arrivées, annonça Lala, qui semblait avoir retrouvé sa bonne humeur.

Elle arrêta la Cadillac Escalade sous un auvent blanc et donna les clés au voiturier.

—Je ne ferais jamais rien pour te blesser. Nous devons nous serrer les coudes.

Cléo attira Lala vers elle pour la prendre dans ses bras.

—Tu as raison. (Lala lui rendit son étreinte.) Je suis désolée.

Frankie sourit de tout son corps. Elle se sentait privilégiée d'être acceptée au sein d'un groupe d'amies si unies et se promit de ne jamais les laisser tomber.

Elles poussèrent les battants de verre et de métal doré de la porte à tambour et pénétrèrent dans un espace qui évoquait l'intérieur de la matrice d'une normie, faiblement éclairé, intime et douillet, résonnant de bruits aquatiques et de voix étouffées.

—Bonjour, Saphir, murmura gentiment Lala en présentant sa carte de membre à une brunette qui semblait nager en pleine béatitude derrière son comptoir recouvert de bougies.

—Bonjour, mademoiselle. (Saphir glissa rapidement la carte dans un lecteur avant de la lui rendre.) Hammam pour vous, aujourd'hui ?

—Oui. (Lala ouvrit son carnet d'invitations et préleva quatre tickets.) Lagoona prendra le bain d'eau de mer, Cléo le massage royal, Claudine a besoin d'une épilation…

Elles gloussèrent.

—Ça suffit ! aboya Claudine.

—Et voici Frankie, la présenta Lala. Elle va faire une séance d'UV dans le solarium.

—Bonjour. (Frankie sourit, les yeux rivés sur les pots de cosmétiques alignés sur l'étagère de verre derrière Saphir, sa main cherchant instinctivement son porte-monnaie.) Est-ce que cette crème est efficace ? demanda-t-elle en montrant un baume cicatrisant de la gamme NoScar.

—Réduction spectaculaire des cicatrices en cent jours garantie, répondit Saphir avec fierté. Croyez-le ou non, la substance active est à base de moustaches de rongeurs.

—Combien ça coûte? demanda Frankie en faisant glisser ses ongles sur les numéros en relief de la carte Visa de son père.

—Mille cent dollars pour les membres, mille trois cents pour les invités.

—Oh!

Frankie remit la carte dans sa besace. *Peut-être que les Glitterati pourraient me donner un coup de pouce sur ce coup-là.*

—Ne t'en fais pas, l'assura Lala. Les UV vont t'arranger ça en moins de deux.

—Cool.

Frankie hocha la tête comme si c'était un plan B acceptable, même si elle en doutait fortement.

Après avoir enfoncé quelques touches sur son ordinateur, Saphir tendit à Lala les clés de plusieurs casiers.

—*Namasté*, gazouilla-t-elle en inclinant la tête, sa queue-de-cheval brune balayant le comptoir.

Dans les vestiaires, des femmes se déplaçaient sans bruit sur l'épais tapis couleur crème, parées seulement des peignoirs en éponge velours fournis par le spa et de l'éclat de traits parfaitement détendus. Certaines se séchaient les cheveux tandis que d'autres échangeaient des potins sur la soudaine prise de poids de leur moniteur de Pilates. La plupart ne semblaient pas gênées de se promener en petite tenue et de laisser tressauter librement leur anatomie de normies.

Frankie eut soudain un besoin urgent d'évacuer ses étincelles.

—On est censées se balader toutes nues ?

Les filles se moquèrent de sa naïveté.

—Ce n'est quand même pas la première fois que tu mets les pieds dans un spa ? demanda Cléo, la tristesse au fond de ses yeux cédant le pas au soupçon.

—Si, reconnut Frankie.

Cléo haussa un sourcil plein de curiosité, que Frankie choisit d'ignorer.

—Tenez, leur dit Lala en leur remettant une clé à chacune.

Frankie introduisit la sienne dans la serrure de son casier de bois brun, qui s'ouvrit au quart de tour avec un petit « clic ». À l'intérieur, elle découvrit le peignoir de velours éponge et les chaussons assortis qu'elle était censée porter dans l'établissement.

—Voltage ! s'émerveilla-t-elle.

Mais son soulagement tourna rapidement à la panique quand elle examina le peignoir de plus près.

Il lui arrivait aux genoux et n'avait pas de col montant. Ses boulons et ses points de suture seraient exposés à la vue de tous, et même son fond de teint Absolue Perfection ne pourrait pas les dissimuler.

Cléo et Lala commencèrent à se déshabiller en discutant négligemment du bal de la rentrée.

—Évidemment, j'irai avec Deuce, annonça Cléo, toute crainte au sujet de Mélodie désormais envolée.

—Il faut que je me trouve un nouvel amoureux. (Lala ceintura son peignoir et se frotta les bras pour conjurer une fraîcheur qui n'existait que dans son imagination.) Tu vas y aller avec qui ? demanda-t-elle à Claudine.

—Question purement rhétorique. (Claudine prit son peignoir et se dirigea vers les toilettes.) Comme si mes frères allaient me laisser sortir avec un garçon, répondit-elle par-dessus son épaule.

—Ils sont vraiment trop protecteurs, expliqua Lagoona en vaporisant d'eau d'Évian avec le brumisateur facial offert par le spa l'intérieur de ses bottes de pluie noires. Il n'y a aucun garçon qui m'intéresse, alors je serai la cavalière de Claudine. (Elle haussa les épaules, comme si ce n'était pas bien grave.) Et toi, Frankie ?

—Je ne sais pas trop. (Frankie s'assit sur le banc en serrant son peignoir contre sa poitrine comme un oreiller.) Je trouve toujours ce Brett aussi canon.

—Bonne chance si tu as l'intention de le piquer à Bekka. (Cléo rassembla ses cheveux noirs et lisses en une queue-de-cheval haute et tamponna ses lèvres de baume à la rose.) Cette fille est plus collante que de la Super Glue.

—Plus crampon que des Adidas, ajouta Lala.

—Plus accro que Amy Winehouse, gloussa Cléo.

—Plus possessive que le démon dans *L'Exorciste*, renchérit Lala.

—Plus tenace qu'une infection urinaire, enchaîna Lagoona.

—Plus de concurrence qu'à la *Nouvelle Star*, alors.

Frankie bomba le torse et leur fit une démonstration de son déhanché de diva.

Les filles éclatèrent de rire.

—Bien joué!

Lagoona leva une main gantée de violet. Frankie tapa dedans sans faire une étincelle.

—Je voudrais pas jouer les rabat-joie… (Claudine sortit des toilettes vêtue de son peignoir et des chaussons. Pour une raison obscure, elle avait gardé son étole de fourrure – mais Frankie s'abstint de tout commentaire cette fois.) Mais cette fille te défoncera la tête si elle te trouve avec Brett.

—Elle ne me fait pas peur. (Frankie repoussa ses cheveux en arrière.) J'ai vu tous les films pour ados, et le garçon finit toujours avec la gentille.

—Peut-être, mais là, c'est la vraie vie. (Cléo se frotta la mâchoire comme si elle venait de recevoir un coup de poing invisible.) Bekka ne rigole pas. Elle m'en a collé une un jour qu'on jouait au jeu de la bouteille et que j'ai embrassé Brett.

—Ah bon? Mais c'est pas le but du jeu, justement? s'étonna Frankie, se demandant secrètement quel effet ça faisait d'embrasser les lèvres de Brett-l'ami-des-RAD.

—Ben, disons que la bouteille n'était pas vraiment tombée sur Cléo, expliqua Lala avec un sourire ironique.

—Et Deuce était encore en Grèce… (Un éclat malicieux dansa dans les yeux de Cléo.) Mais quand même… ce n'était pas une raison pour me frapper!

—C'est pas tout ça! (Lagoona se gratta les tibias.) Il faut que j'aille faire trempette avant que j'arrive à l'os.

Elle noua la ceinture de son peignoir et se dirigea vers la porte en verre dépoli affichant l'inscription «Bains d'eau de mer». Elle portait toujours ses gants et ses bottes de pluie.

Deux femmes en uniforme rose entrèrent dans le vestiaire, des listings à la main.

— Mademoiselle Wolf, appela la blonde d'âge mûr. Je suis Theresa, votre esthéticienne pour l'épilation à la cire.

— Un instant. Où est Anya ? demanda Claudine, ses yeux dorés lançant des regards affolés autour d'elle.

— Elle participe à un séminaire de bien-être, déclara Theresa en tendant le bras vers les cabines d'épilation. Si vous voulez bien me suivre.

Claudine hésita, mais décida d'accompagner Theresa dans le couloir en étreignant le haut de son peignoir. Elle se retourna vers les filles en roulant des yeux pour leur faire savoir que la remplaçante d'Anya n'avait pas ses faveurs.

— Vous êtes prête, Cléo ? demanda l'autre femme dans le bourdonnement des sèche-cheveux en lui offrant une coupe de raisins noirs.

— Merci, Blythe.

Cléo accepta le raisin et fit un petit signe d'au revoir à ses amies, baissant chaque doigt l'un après l'autre.

— Le solarium se trouve dans la cabine 13, dit Lala à Frankie en claquant des dents. Lis bien le mode d'emploi avant de te déshabiller. Je suis gelée. Je vais me réchauffer dans le hammam.

— D'accord, merci.

Frankie sourit, heureuse de ne pas avoir à se déshabiller devant les autres.

La cabine 13 sentait la transpiration de normie et le soleil. Il faisait une chaleur de tous les diables à l'intérieur. *Lala souffre peut-être de problèmes circulatoires*, se dit Frankie en verrouillant la porte, qu'elle bloqua ensuite avec une chaise. Une sorte de banc incurvé muni d'un couvercle qui ressemblait au croisement entre une Jeep et un cercueil était ouvert et lui tendait les bras. Un petit coussin de vinyle et une serviette éponge pliée étaient proprement disposés sur le matelas de verre aseptisé.

Après lecture du mode d'emploi, les soupçons de Frankie furent confirmés. Quinze minutes sur le banc solaire ne régleraient pas ses problèmes. Ce n'était pas comme ça qu'elle gagnerait le cœur de Brett ni que sa peau deviendrait blanche. Aucune machine n'avait ce pouvoir. Mais elle retrouverait peut-être la sensation électrifiante qu'elle avait éprouvée en exposant son visage au soleil devant le lycée de Mount Hood. L'énergie solaire était plus puissante que tout ce que Carmen Electra lui avait jamais procuré, et sa chaleur avait pétillé dans son corps jusqu'aux sutures de ses chevilles. Et même si cette machine n'était pas à la hauteur de la sensation, la belle affaire ! Ces quinze minutes viendraient toujours enrichir sa collection naissante d'apprentissages du monde réel qui s'étoffait chaque jour un peu plus.

Frissonnant de plaisir à l'avance et heureuse de l'intimité que lui procurait la cabine, Frankie se tortilla pour enlever sa robe pull, qu'elle jeta dans un coin. Quelques instants plus tard, elle posait sa tête sur l'oreiller de vinyle dans le plus simple appareil, ne portant rien d'autre que les coutures et les boulons que son père lui avait donnés, une couche d'Absolue Perfection et des rondelles de protection argentées pour les yeux.

Frankie chercha le bouton d'alimentation à tâtons sur le mur derrière elle, et mit le solarium en route. Avec un grand «clac» amplifié, les rangées de lampes et de tubes fluorescents s'allumèrent. Elle rabattit sur elle la partie supérieure et s'installa confortablement.

Ahhhhhh! Il était là... Le bourdonnement... comme dans son souvenir.

À la différence de Carmen Electra qui l'alimentait en électricité par ses boulons, cette énergie pénétrait chaque centimètre de sa peau. C'était la même différence entre boire un verre d'eau et prendre un bain. Et la sensation était fabuleusement voltage.

Des images d'elle-même en microbikini en train de batifoler avec Brett sur une plage isolée emplirent l'esprit de Frankie. Sous la chaleur des lampes à UV naturelles du soleil, ses boulons, ses points de suture et ses abdominaux aussi durs que le jade l'inspiraient : il laissait libre court au poète qui sommeillait en lui et lui écrivait des vers. Le sable fin réchauffait les interstices entre ses orteils et le feu de camp qu'ils avaient allumé dans la nuit crépitait et brillait dans l'obscurité. Ils se blottissaient l'un contre l'autre, se racontaient la drôle de double vie qu'ils menaient tous les deux, et se réconfortaient mutuellement dans les bras l'un de l'autre.

Ahhhhhh...

Ses visions lui semblaient si réelles, si vivantes, qu'elle pouvait presque sentir les odeurs qui allaient avec. Les Chamallows qu'ils laissaient brûler tandis que leurs lèvres se disaient leur amour... la fumée virevoltant autour d'eux... l'odeur de roussi de cheveux qui commencent à cramer...

AHHHHHHH!

— Oh non !

Frankie se redressa et se cogna le front contre le couvercle du banc solaire. Arrachant les patchs qui lui couvraient les yeux, elle vit des fumerolles s'élever des sutures de ses chevilles. Ses boulons crépitaient en projetant des étincelles comme des cierges magiques.

— Oh non, oh non, oh nonohnonohnonohnonohnonoh nonohnooon ! (Tremblant de tous ses membres et sans vraiment savoir ce qu'elle faisait, Frankie appuya sur le bouton jaune encastré dans le mur, mais au lieu de couper l'alimentation comme elle l'avait espéré, cette opération prolongea de dix minutes la séance programmée.) Stop ! Stop !

Elle tenta d'étouffer les flammes qui léchaient ses sutures, mais produisit toujours plus d'étincelles dans sa panique.

En désespoir de cause, elle agrippa le cordon d'alimentation noir qui sortait du mur et tira dessus. Il tenait bon. Elle tira plus fort. Encore plus fort…

Des étincelles fusaient dans tous les sens. Soudain, un arc électrique jaillit de sa main, remonta le long du cordon d'alimentation et s'immisça dans la prise murale.

« Pop ! »

La cabine fut instantanément plongée dans le noir.

— Pourquoi il n'y a plus de lumière ? hurla une voix paniquée venant de la cabine voisine.

On aurait dit celle de Cléo.

Plusieurs autres voix – certaines amusées, la plupart agitées – s'élevèrent de toutes parts en un concert de protestations légèrement inquiètes. Frankie distingua la lueur vacillante d'une bougie par l'interstice sous la porte de sa cabine et entendit des pas précipités passer sans s'arrêter.

—Il y a quelque chose qui brûle? demanda une voix de femme affolée.

Sans prêter attention à ses points de suture qui empestaient le brûlé, Frankie se rhabilla en quatrième vitesse et se glissa sans un bruit dans le couloir obscur. Elle se guida grâce à l'inscription lumineuse rouge de la sortie de secours qui s'ouvrait à l'arrière du bâtiment et se rua sous la pluie sans dire un seul mot à personne.

Une fois dehors, des tourbillons de vapeur blanche s'élevèrent de son corps électrisé comme les effets spéciaux à base de neige carbonique d'un film d'horreur de série B. Mais Frankie refusait de pleurer. Après tout, elle avait eu ce qu'elle voulait. Elle avait vécu sa journée au spa pour de bon. Elle l'avait respirée. Elle en avait senti les odeurs. Et (malheureusement) elle s'en souviendrait toute sa vie.

Le portable de Frankie se mit à sonner. C'était Lagoona. Puis Lala. Puis Lagoona. Puis Lala. Elle laissa les appels aboutir sur sa messagerie.

Après avoir parcouru presque dix kilomètres à pied sous la pluie, Frankie finit par obliquer dans Radcliffe Way. Ses membres étaient engourdis et son niveau d'énergie au plus bas. Mais elle refusait toujours de pleurer. Elle devait garder ses dernières forces pour l'inévitable savon que ses parents allaient lui passer. *Tu étais où? Tu as fait quoi à leur système électrique? Et si quelqu'un t'avait vue? À quoi pensais-tu pour marcher tout ce temps avec une charge énergétique si basse? Est-ce que tu es consciente des risques que tu as pris ? Pas seulement pour toi, mais pour toute la communauté des RAD! Frankie, combien de fois faudra-t-il…*

Juste à ce moment-là, un gros 4 x 4 BMW de couleur verte s'engouffra en trombe dans l'impasse, roulant dans une flaque dont les eaux s'écartèrent comme celles de la mer Rouge. Un des murs d'eau finit sa course contre la porte du véhicule côté passager. L'autre arrosa Frankie des pieds à la tête.

Cette fois-ci, elle fondit en larmes.

CHAPITRE 11

GARDER SON OBJECTIF EN VUE ET NE PAS LÂCHER L'AFFAIRE

—Tu es sûre de ne pas vouloir camper avec nous? cria Glory pour couvrir le gémissement assourdissant du matelas pneumatique qu'elle était en train de gonfler. La pluie s'est arrêtée et le grand air fera le plus grand bien à tes poumons.

Elles se tenaient dans le salon encore à moitié encombré de cartons et regardaient Beau s'efforcer de monter une tente géante Lafuma couleur kaki à travers les portes vitrées coulissantes.

—Sûre et certaine.

Mélodie ricana doucement rien que d'y penser. Qui ses parents croyaient-ils duper? Des pyjamas en cachemire, une tente dôme huit places, du linge de lit Laura Ashley sur un matelas gonflable Aerobed, des brochettes de bœuf coréen à emporter, une carafe de mojito et un vidéoprojecteur avec la saison 1 de *Lost*, ce n'était pas ce que Mélodie appelait « camper ». C'était comme de se coller le tuyau d'échappement d'un bus de Los Angeles sur la bouche et d'appeler ça un inhalateur.

En outre, elle avait d'autres plans. Dès que Candace serait partie pour son troisième rendez-vous amoureux de la semaine, Mélodie avait bien l'intention de s'introduire en douce dans sa chambre avec un paquet de pop-corn sucré salé pour regarder son émission de télé-réalité préférée, *L'Île de la Tentation*. Sauf que ce n'était pas à la télé et qu'il ne s'agissait pas de couples qui se déchirent. Il y était question d'une fille appelée Mélodie qui s'était entichée d'un mignard imprévisible et se retrouvait toute seule un samedi soir à mater la fenêtre de sa chambre pour la troisième nuit d'affilée.

—Candace, terminé! annonça sa sœur qui venait de faire son apparition vêtue d'une minirobe extrafine à l'encolure bateau dénudant les épaules, imprimée d'un motif *tie & dye* dans des tons de violet, bleu et blanc. Ses bottines argentées criaient à la face du monde, au cas où quelqu'un en douterait encore, qu'elle n'était pas de ce bled.

—Ça va, les cheveux? demanda-t-elle en faisant bouffer ses boucles blondes décolorées par le soleil. Pas trop sexy?

—Tu t'écoutes parler de temps en temps? demanda Mélodie qui ne put réprimer un gloussement.

—Ce soir, je sors avec Jason. Pas du tout mon genre de mec, expliqua Candace en s'appliquant une nouvelle couche de gloss. Je ne veux pas qu'il se fasse des idées. C'est juste pour rendre Léo jaloux.

—C'est ta robe qui va lui donner des idées, fit remarquer Beau, arrivant du jardin. Pas tes cheveux. (Son sweat en polaire

Prada gris acier était parsemé de brins d'herbe.) Remonte donc dans ta chambre finir de t'habiller.

—Papa! (Candace martela le sol d'une bottine argentée.) Je me demande si on vit dans la même maison. On se croirait à Miami, ici, tellement il fait chaud. Une épaisseur de plus et je vais avoir une crise cardiaque. Je n'ai même pas eu besoin de mon embout diffuseur. (Elle tira sur une de ses boucles avant de la relâcher.) Regarde ça.

La boucle revint en place avec une élasticité parfaite.

—Le type du chauffage vient mercredi. (Beau épongea son front bronzé.) Maintenant, va te changer ou je te taille un costume dans cette tente et tu pourras toujours essayer de rendre Jason jaloux avec ça.

—Léo! le corrigea Candace.

—Tu devrais essayer ma robe boule vert émeraude avec ton pantalon Phi. (Glory testa le gonflant de l'Aerobed de la pointe d'un orteil.) Elle est dans le carton marqué YSL.

—Je ne sais pas, soupira Candace avec hésitation. Il me faudrait des bottines de cuir noir, et je n'en ai pas.

—Je te prête mes Miu Miu, proposa Glory en soufflant sur une fine mèche de cheveux auburn pour l'écarter de ses yeux verts.

—Excellente idée! s'exclama Candace comme si elle n'y avait pas déjà pensé.

Elle fit un clin d'œil à Mélodie pour bien lui montrer que si.

—Quelle manipulatrice tu fais! la charria Mélodie, qui avait suivi sa sœur dans sa chambre, en se laissant tomber sur le lit à baldaquin Hermès ligne métal de Candace.

L'austérité des colonnes d'étain était contrebalancée par des draps roses à fanfreluches et une couette douillette de satin blanc. Tout l'inverse du lit de Mélodie, un lit mezzanine noir de chez Conran Shop avec un espace bureau très pratique en dessous.

— Il faut se battre pour obtenir ce qu'on veut dans la vie, Melly, se justifia Candace en obligeant son pied à se glisser à l'intérieur de la bottine de cuir rigide. Garder son objectif en vue et ne pas lâcher l'affaire. Surtout avec les mecs, ajouta-t-elle en montrant du menton la fenêtre faiblement éclairée de la chambre de Jackson.

— Il n'y a rien entre nous, dit Mélodie, détestant le son de cette phrase.

Pourquoi est-ce qu'il est beaucoup plus difficile de dire ce genre de truc tout haut que de le penser tout bas ?

— Et les fleurs en céramique ?

— Il a fricoté avec Cléo toute la semaine. Il a sans doute voulu m'utiliser pour la rendre jalouse à cause du retour de Deuce. (Elle roula sur le côté.) C'est un baratineur, Candi. Et j'en ai assez de me faire baratiner.

— Tu laisses tomber trop facilement. Tu as toujours eu ce défaut. (Elle tapota l'ourlet bouffant de la robe boule vert émeraude et pencha la tête sur le côté.) Ça le fait. (Des phares de voiture balayèrent les murs de rondins de sa chambre.) Y a mon prince pas charmant qui m'attend.

— Tâche de ne pas être trop sexy, plaisanta Mélodie.

— Et toi de l'être un peu plus. (À la manière des agents de sécurité dans les aéroports, Candace passa sa main sur le sweat gris de Mélodie frappé d'un motif *peace and love*.) Ce truc est archinul.

—C'est pourtant un Victoria's Secret, se défendit Mélodie.

—Mouais. (Candace s'aspergea de la dernière fragrance de Tom Ford.) Ce secret-là, ils auraient mieux fait de le garder pour eux. (Elle ébouriffa les cheveux de Mélodie.) Tu devrais sortir un peu. Si tu ne succombes pas à l'ennui, la chaleur aura raison de toi. (Elle claqua des doigts.) Candace, terminé !

Elle sortit, laissant dans son sillage un lourd parfum d'orchidée noire.

Mélodie s'allongea sur le lit à baldaquin et lança en l'air un des oreillers de satin blanc qu'elle essaya de rattraper avant qu'il lui retombe sur la figure. C'était ça, la nouvelle vie dont elle avait rêvé ?

Elle attendit le claquement des bottines Miu Miu sur les marches de bois du perron pour essayer la minirobe que Candace avait abandonnée comme une dépouille à côté de sa coiffeuse. Aussi fébrile que Cendrillon avant d'aller au bal, elle glissa également ses pieds dans les bottines argentées avant de se diriger d'une démarche mal assurée vers le miroir. Les chaussures lui comprimaient les orteils, mais faisaient des merveilles sur les muscles de ses mollets. Souples et longs, ils avaient la même élégance tout en finesse que le tissu de la robe, dont les motifs dans les tons froids de bleu et de violet donnaient de la lumière à ses yeux gris, comme les illuminations d'un sapin de Noël. Ça valait le coup d'œil. Elle se prit à s'imaginer en train de chanter sur scène dans cette robe. Ce n'était peut-être pas si terrible d'être belle…

«Vrouuuum vrouuum!»

La sonnerie de son iPhone arracha Mélodie à la contemplation de son propre reflet.

Elle fit glisser son pouce sur l'écran, mettant un terme au rugissement de moteur de moto qui lui servait de sonnerie.

—Allô, répondit-elle en faisant rouler le fauteuil capitonné de blanc du bureau de sa sœur devant la fenêtre.

—Quoi de neuf? demanda la voix de Bekka.

Elle entendit la chanson *Freak* d'Estelle en arrière-plan.

—Rien que du vieux.

Mélodie jeta un coup d'œil à la petite maison blanche de l'autre côté de la rue. Des jardinières de bois rustiques débordantes de fleurs des champs étaient accrochées aux fenêtres. Un érable géant dans la cour abritait sur ses branches toute une cantine de mangeoires à oiseaux. La petite chaumière avait le charme désuet du foyer d'un fiston à sa maman et pas du tout celui d'un coureur de jupons.

—Qu'est-ce que tu fais? s'étonna Mélodie. Je croyais que tu sortais avec Brett. Vous ne deviez pas vous débrouiller pour aller voir le dernier *Saw* au Cineplex?

La voix d'Estelle avait cédé la place au «tacatacatacatac» de doigts frappant sur un clavier.

—Mes parents ne veulent pas que je sorte à cause de cette histoire de monstre. (Elle frappa quelque chose de dur.) C'est vraiment nul. J'ai attendu toute la semaine cette sortie avec lui, et voilà le résultat… (Le même bruit d'un choc contre un objet solide.) On avait juste prévu d'aller au cinéma. Qu'est-ce qu'ils s'imaginent? Qu'on va se faire attaquer par Wolfman ou Ghostface ? Non, attends, plutôt par des piranhas ?

« Tacatacatacatac. »

— Tu n'as qu'à demander à Brett de venir chez toi, suggéra Mélodie en plissant les yeux pour décider si le clignotement derrière les persiennes de Jackson était un signe d'activité ou le fruit de son imagination.

— C'est ce que j'ai fait, mais il n'a pas voulu. (Le ton de sa voix passa de la colère à la déception.) Il veut absolument voir ce film le jour de sa sortie, alors il va au ciné avec Thomas… enfin c'est ce qu'il dit.

« Tacatacatacatac. »

La lumière s'éteignit dans la chambre de Jackson. Le spectacle était terminé avant d'avoir commencé.

— Raconte-moi un peu cette histoire de monstre, demanda-t-elle à Bekka, reportant finalement son attention sur leur conversation.

À l'école, tout le monde parlait d'un incident au lycée de Mount Hood, mais elle n'y avait pas sérieusement prêté l'oreille. Après tout, ils déliraient sur des monstres. Et qu'est-ce qui pouvait être plus monstrueux que les filles de son ancien lycée à Beverly Hills ? Mais que les parents interdisent à leurs enfants de sortir rendait les choses presque plus réelles… en quelque sorte.

— Est-ce que c'est vrai ?

— Mes parents ont l'air de penser que oui, grogna Bekka.

— Les miens aussi, intervint une voix familière.

— Haylee ?

— Salut, Mélodie.

—Depuis quand t'es sur la ligne? s'étonna Mélodie, se demandant si elle n'avait pas raté ce détail à force de se concentrer sur la fenêtre de Jackson.

—Je l'inclus dans toutes mes conversations, expliqua Bekka. Elle les retranscrit pour le bouquin.

—Oh! (Mélodie se mordilla l'ongle du pouce, comprenant à présent que le bruit de clavier qu'elle entendait était produit par Haylee. Elle éprouva des sentiments mitigés vis-à-vis de cette intrusion.) Bref, on en était où?

« Tacatacatacacatac. »

—Les monstres, l'informa Haylee.

—Oui, merci. (Bekka prit une inspiration.) Il y a toutes sortes de rumeurs qui circulent, mais je penche plutôt pour la version de Brett, parce que les monstres c'est vraiment son truc. (« Tacatacatac… ») Il dit que des familles entières de monstres vivent dans le parc de Hells Canyon, qui se trouve à environ trois cents kilomètres de Salem. Ils se baignent dans la rivière du Serpent, qui leur sert aussi d'eau potable, et chassent dans les montagnes des Sept Diables pour se nourrir. En été, la température monte tellement dans le canyon qu'ils migrent vers l'océan pour trouver un peu de fraîcheur. Ils se déplacent de nuit ou profitent des épais brouillards matinaux.

La silhouette de Jackson se découpa soudain sur sa fenêtre. Mélodie frissonna à cette vision inattendue. C'était la première fois qu'elle le voyait dans sa chambre. Elle éteignit les lumières de celle de Candace pour qu'il ne la voie pas et fit semblant de s'intéresser à ce que lui racontait Bekka sur le folklore local.

—Ah oui?

« Tacatacatacatac. »

— C'est ce que dit Brett, poursuivit Bekka. Et en automne, quand le temps se rafraîchit, ils reviennent dans le canyon. C'est donc parfaitement plausible que quelqu'un ait pu voir un monstre, puisqu'on est en plein dans la saison de migration.

— Je n'aurais jamais dû embrasser Deuce, l'interrompit Mélodie d'un air boudeur, lassée de ce délire débile sur les monstres. Ça n'a fait qu'empirer nos relations.

— Quelles relations ? demanda Bekka. Tu ne sortais même pas avec Jackson.

— Touchée, gloussa Mélodie.

Sa nouvelle copine avait raison. Il fallait qu'elle cesse de l'espionner et de tirer la tronche. Ce n'était sûrement pas comme ça qu'elle prendrait un nouveau départ.

— C'est vrai, souligna Haylee, confirmant les allégations de Bekka.

— Je sais bien. (Mélodie appuya son front contre la vitre fraîche. C'était ce qui se rapprochait le plus d'un seau d'eau froide.) Je me suis laissé avoir par le coup de l'artiste timide. Il n'est même pas si mignon que ça.

« Tacatacatacatac. »

— Merci beaucoup, fit une voix masculine.

Mélodie sursauta.

— Aaaaaaaaaaah !

Elle se retourna d'un bond et vit une silhouette mince qui se découpait sur le seuil plongé dans l'obscurité de la chambre de Candace. Son cœur s'emballa au rythme d'un hors-bord sous le coup de l'émotion.

—Mélodie, ça va? Réponds-moi! hurla Bekka dans le téléphone. C'est le monstre?

«Tacatacatacatac.»

—Non, tout va bien. (Mélodie posa une main sur son cœur qui battait la chamade.) C'est seulement Jackson. Je te rappelle.

«Tacata…»

Mélodie raccrocha et jeta son téléphone sur le lit de Candace.

—C'était Deuce? s'enquit Jackson.

Savourant sa jalousie, Mélodie décida de le laisser penser ce qu'il voulait.

—Ça n'est pas la question. Qu'est-ce que tu fais ici?

—Le couple de SDF qui campe derrière chez toi m'a laissé entrer.

Il fit un pas dans le noir. Mélodie lui coula un regard en biais.

—Tu as entendu ma conversation?

—Hé! s'exclama-t-il en s'approchant de la fenêtre. C'est pas ma chambre, ça?

—Qu'est-ce que j'en sais?

Mélodie était davantage sur la défensive qu'elle l'aurait voulu. Elle fit rouler la chaise de Candace jusqu'au bureau et ralluma la lumière.

Les yeux noisette de Jackson s'éclairèrent en la voyant. Les joues de Mélodie s'empourprèrent. Elle avait complètement oublié qu'elle portait la minirobe de Candace. Elle se sentit soudain très gênée. Pas de montrer ses jambes, mais de dévoiler son intérêt pour les tenues sexy.

—Euh, bon, bégaya-t-il en essuyant son front perlé de sueur. Je suis juste venu te dire de rester à l'écart de Deuce.

—Pourquoi? (Mélodie sourit d'un air revanchard.) Parce que tu es jaloux?

—Non. (Il ôta ses lunettes pour se frotter les yeux.) Parce qu'il est dangereux.

—Il est jaloux, il est jaloux, il est jaloux, chantonna Mélodie comme une petite fille dans la cour de récré.

À sa grande surprise, sa voix lui sembla un brin plus claire que d'ordinaire.

—Je ne suis pas jaloux, d'accord? Je suis inquiet. (La lèvre supérieure de Jackson commençait aussi à s'emperler de sueur.) De ce qui risque d'arriver à un autre être humain. Bon sang, il fait toujours aussi chaud ici? demanda-t-il brusquement.

—Ouais, répondit Mélodie, tâchant de ne pas laisser entendre qu'elle était dégoûtée de son indifférence. Il y a un ventilateur dans ma chambre, proposa-t-elle. Mais tu m'as délivré ton message, donc… (Elle se déplaça maladroitement jusqu'à la porte de Candace, qu'elle lui tint ouverte avec la grâce d'une girafe sur des rollers.) Bonne nuit. Et merci encore pour l'avertissement.

Jackson obtempéra, et Mélodie eut l'impression de sombrer dans un gouffre sans fond. Elle laissa tomber sa tête vacillante entre ses mains.

—Ah! c'est beaucoup mieux! appela Jackson.

Il était dans sa chambre. La lumière était allumée. Le ventilateur en marche. L'impression de tomber dans un gouffre… envolée!

Jackson avait fait comme chez lui et s'était installé par terre sous son lit mezzanine noir, les genoux remontés contre la poitrine, face au ventilateur. Il portait un polo à manches courtes, un jean délavé et des Converse noires (les mêmes que les siennes!) Le chic un peu geek de sa tenue avait quelque chose d'une campagne d'affichage pour Marc Jacobs.

—Intéressant, dit-il en avisant les cartons de déménagement toujours pas déballés.

—On s'y fait.

Elle s'assit également, songeant à lui plus qu'à sa petite chambre en désordre.

S'ensuivit une courte série de hochements de tête embarrassés.

—Alors, t'en es où avec Cléo? finit par laisser échapper Mélodie, comme si ses pensées avaient glissé dans de l'huile de friture.

—Qu'est-ce que tu veux dire?

Jackson ferma les yeux et se rapprocha du ventilateur.

—Tu rigoles? (Le cœur de Mélodie se remit à battre comme un fou.) Écoute, je sais que tu es un coureur. C'est bon. J'ai compris. Le mieux qu'on puisse espérer, c'est de garder de bons rapports de voisinage, alors autant te montrer honnête avec moi.

—«Un coureur»? (Jackson lui rit presque au nez.) Je te signale que c'est toi qui as roulé une pelle à Deuce en plein milieu du hall.

Mélodie se leva. Comment osait-il retourner ça contre elle?

—Laisse tomber.

—Quoi? Qu'est-ce que j'ai fait?

—Ne me prends pas pour une débile, Jackson!

Un ouragan d'émotions contracta la gorge de Mélodie et emplit ses yeux de larmes. C'était une phrase qu'elle avait dû prononcer un bon millier de fois. La seule variante était le prénom à la fin.

—Alors, c'est peut-être moi qui suis débile. (Il lui prit la main. Cela lui fit le même effet que l'odeur des biscuits en pain d'épices le matin de Noël.) Dis-moi. (Il lui pressa la main.) Qu'est-ce que j'ai fait? (Mélodie chercha ses yeux, qui s'accrochèrent aux siens avec le même désespoir que sa main.) Je t'en prie, dis-le-moi, l'implora-t-il.

Mélodie secoua la tête comme une Magic 8 Ball, espérant que la réponse lui apparaîtrait soudainement. Était-ce là une forme extrême de bizutage ou n'avait-il vraiment pas la moindre idée de ce qu'elle voulait dire?

—Cléo, dit-elle d'un ton neutre, cherchant sur son visage les signes subtils d'un aveu.

Elle n'en trouva aucun. Pas de mâchoire crispée. Pas de paupière qui tremble. Pas de langue passée sur des lèvres trop sèches. Il la regardait avec l'innocence d'un enfant écoutant la maîtresse à l'heure des histoires.

—Tu l'as embrassée, poursuivit Mélodie. Plusieurs fois. (Cette fois, il baissa la tête d'un air coupable.) Ha ha! Tu vois que tu t'en souviens!

Il tourna la tête de gauche à droite.

—Non, je ne m'en souviens pas. C'est bien le problème.

—Quoi?

Mélodie s'assit par terre à côté de lui et retira ses chaussures à talons. Cette conversation prenait un tour où des bottines argentées étaient de trop.

—Il m'arrive d'avoir des absences, confessa-t-il en arrachant un morceau de caoutchouc qui dépassait au bout d'une de ses baskets. Ma mère dit que c'est sans doute dû à l'anxiété, mais elle n'en est pas sûre.

—Qu'en disent les docteurs?

—Personne ne sait très bien.

—Attends, il y a un truc que je ne saisis pas. (Mélodie se déplaça pour le regarder en face, mais pas moyen de s'asseoir en tailleur avec une robe aussi microscopique.) Bouge pas, dit-elle en attrapant une boîte étiquetée « Vêtements pour traîner ». (Elle en sortit une culotte de pyjama rayée toute froissée et l'enfila sous sa robe.) Voilà qui est mieux. (Elle sourit avec soulagement.) On reprend: comment peux-tu embrasser des gens quand tu es dans les vapes?

—C'est une bonne question. (En soupirant, il repoussa d'une main les cheveux qui lui tombaient dans les yeux.) Je crois bien que c'est de pire en pire.

—Ne t'inquiète pas. (Mélodie lui posa gentiment une main sur le genou.) Il y a des tas de gens qui peuvent t'aider.

—C'est surtout pour ma mère que je suis inquiet, dit-il. Elle n'a que moi.

Touchée par son altruisme, Mélodie se pencha vers lui. Ses cheveux noirs s'envolèrent, soufflés par le ventilateur, et vinrent balayer leur visage. Une vraie scène de cinéma.

—Détends-toi. (Elle lui prit le poignet avec une feinte inquiétude.) Reste avec moi. Les bonnes gens de Salem ont besoin de nous !

—Alors je serai fort ! répliqua-t-il du tac au tac.

Ils éclatèrent de rire, oubliant toute jalousie, désormais sans objet, au profit du mystère d'un avenir hasardeux.

—Tu sais que c'est pour te rendre jaloux que j'ai embrassé Deuce, hein ? avoua Mélodie.

—Non, mais ça a marché.

—Super, s'écria Mélodie, soulagée de le lui entendre dire. (Il la dévisagea avec des yeux amusés comme s'il regardait un dessin fait selon le principe du cadavre exquis.) Qu'est-ce qu'il y a ?

—Ton prénom, dit Jackson. Il te va bien.

—Tu trouves ? demanda-t-elle, plutôt surprise.

Même lorsqu'elle chantait encore, elle avait toujours considéré que ses parents auraient dû lui donner un prénom plus sombre, comme Mérédith ou Helena.

—Mélodie... c'est gai et joyeux, et moi... je suis plutôt l'inverse.

—Peut-être, mais pense à ce qu'il exprime. (Il s'assit également en tailleur, de sorte que leurs genoux se touchèrent.) Une suite de notes toutes simples qui, combinées ensemble, produisent un résultat incroyable. C'est exactement toi.

Mélodie gloussa nerveusement, puis son regard tomba sur ses pieds nus calleux. Candace avait raison : ça ne la tuerait pas de s'offrir une pédicure une fois de temps en temps.

—Merci, dit-elle, frappée de sa propre pudeur. Personne n'a jamais réfléchi autant sur mon prénom, avoua-t-elle.

Pas même mes parents. Ils voulaient m'appeler Mélanie, mais ma mère avait une sinusite carabinée à la maternité et, quand la sage-femme lui a demandé le prénom qu'elle devait inscrire sur l'acte de naissance, elle a compris « Mélodie » au lieu de « Mélanie ». Ils ne se sont pas aperçus de l'erreur avant trois mois, quand l'extrait de naissance est arrivé au courrier. Ils ont finalement décidé de le laisser comme ça.

— Il te va comme un gant. C'est un très joli prénom. (Jackson déglutit. *Attention, on y vient… Ne dis pas ça, s'il te plaît ne dis pas ça, s'il te plaît ne dis…*) Aussi joli que toi.

— Merde ! J'étais sûre que t'allais dire ça.

Mélodie se leva, se donnant du courage pour affronter l'inévitable.

— Qu'est-ce qu'il y a ?

Jackson se leva aussi et la suivit jusqu'au carton étiqueté « Mauvais souvenirs de Beverly Hills ».

— Regarde ça.

Elle lui fourra sous le nez son ancienne carte de lycéen.

Jackson remit ses lunettes en place avant de l'examiner.

— Et alors ?

— Regarde comme j'étais moche avant que mon chirurgien esthétique de père me refasse le visage ! cria-t-elle comme s'il était pour quelque chose dans sa frustration.

Et c'était bien sa faute. Il avait dit qu'elle était jolie. Il avait commencé, et elle était bien obligée de continuer avant qu'il tombe sur des photos « avant » et « après » sur Internet.

— Tu n'étais pas moche du tout, déclara-t-il. Pour moi, tu es exactement la même.

—C'est que tu ne regardes pas d'assez près, insista Mélodie en récupérant la photo.

—Détrompe-toi. (Il reprit la carte et l'examina de nouveau.) Je regarde de bien plus près que tu crois, et tout ce que je vois est parfait.

Wouah!

L'ouragan qui faisait rage au fond de la gorge de Mélodie montait en puissance. Cap plein sud, il se dirigeait tout droit sur son estomac. La chaleur de la pièce se confondait avec celle de son corps et elle se sentit irrésistiblement attirée vers lui.

—Je crois que c'est le moment de s'embrasser, laissa-t-elle échapper, choquée de sa propre audace.

—Je suis d'accord, dit-il en faisant un pas vers elle.

L'odeur sucrée salée de sa peau la combla comme le pop-corn ne le pourrait jamais.

Plus près… plus près… plus près… et…

—ATTENTION! hurla une voix de femme hystérique.

Jackson recula.

—Qu'est-ce que c'était que ça?

—Ma SDF de mère.

—Est-ce qu'elle nous voit?

Il tourna le ventilateur vers son visage.

—Je ne crois pas. (Mélodie se précipita vers l'escalier.) Tout va bien, maman?

—Oui, si l'on considère que tout va bien quand on est poursuivi par un loup gris géant, répondit-elle. Ce qui est manifestement le cas de ton père.

—Glory, je te répète que ce n'était pas un loup, la raisonna-t-il.

Mélodie et Jackson éclatèrent de rire.

—Hé! tu veux bien être ma cavalière pour le bal de rentrée? demanda-t-il.

—Absolument. (Mélodie sourit.) À condition de pouvoir y aller dans cette tenue.

Elle prit la pause dans son ensemble robe pyjama.

—Rien à redire, dit-il en riant.

Mélodie fit un pas vers lui… Jackson fit un pas vers elle… et…

—IL EST LÀ! hurla Glory.

—Où ça? gloussa Beau. Je ne vois rien du tout.

—Mélodie! Descends et dis-moi si tu vois quelque chose! appela Glory.

—Oui, maman, dit Mélodie en levant les yeux au ciel.

Elle descendit les marches quatre à quatre, Jackson sur ses talons, et ils se séparèrent rapidement. Jackson s'éclipsa silencieusement par la porte de devant tandis que Mélodie rejoignait ses parents à l'arrière de la maison.

—Là. (Glory montrait quelque chose du doigt à travers la baie vitrée.) Derrière la tente, à gauche du service à thé. Tu vois quelque chose?

Le reflet d'une fille ordinaire aux cheveux noirs emmêlés et aux pieds non pédicurés, vêtue d'un pantalon de pyjama rayé et d'une robe *tie & dye*, lui rendit son regard.

—Alors, la pressa Glory. Qu'est-ce que tu vois?

—Rien du tout, mentit Mélodie.

Pour la première fois de sa vie, son reflet ne lui semblait pas monstrueux. Elle trouvait même la fille qu'elle contemplait très belle.

CHAPITRE 12
RIP

Frankie dormit par intermittence ; comme une poule à qui on aurait coupé la tête, son esprit était totalement déconnecté de son corps. Après cinq longues heures durant lesquelles Viktor avait remplacé ses sutures, en insistant pour regarder les infos, Frankie était douillettement allongée en sandwich entre deux couvertures électromagnétiques toutes neuves, un chaud courant électrique se répandant dans son corps à travers ses boulons cervicaux. Dans le même temps, son cerveau était en proie à une agitation tourmentée.

Les bribes des mensonges qu'elle avait racontés à Viv et Vik la torturaient comme une musique de fête foraine passée en boucle.

Viveka : *« Victor ! il est arrivé quelque chose à Frankie ! »*
Viktor : *« Que s'est-il passé ? Tu es blessée ? (À Viveka :) Elle est blessée ? (À Frankie :) Est-ce que ça va ? Où est passé ton parapluie ? »*

Frankie : «*Ça va. Juste un peu froid et je suis fatiguée.* (Silence.) *Papa, tu savais que les moustaches de rongeurs réduisaient les cicatrices?*»

Viktor : «*Quoi?* (À Viveka :) *Elle délire?* (À Frankie :) *Frankie, tu comprends ce que je te dis? Tu sais où tu es?*»

Frankie : «*Oui, papa.*»

Viktor : «*Où sont les autres?*» (Il soulève Frankie pour l'allonger sur son lit de métal.)

Frankie : «*Elles ont voulu aller au cinéma après la bibliothèque. J'avais promis de rentrer, alors je les ai laissées.*»

Viveka : «*Elles n'ont pas proposé de te raccompagner?*» (Elle secoue le projecteur au-dessus du lit, oriente le bras articulé de façon à le positionner au-dessus du corps de Frankie, comme pour un interrogatoire.)

Frankie : «*Si, elles me l'ont proposé, mais je n'ai pas voulu les retarder.*»

Viktor : «*Tu aurais pu nous appeler et nous demander la permission d'aller au cinéma. Nous aurions dit «oui», surtout si nous avions su que tu allais rentrer à pied sous la pluie.*»

Frankie : «*Ce n'était pas si terrible. Mais je suis lessivée. Ça t'ennuie si je dors un peu?*»

Viktor (Il tamponne quelque chose de froid et d'humide sur les sutures de Frankie.) : «*Bien sûr que non. Vas-y.* (À Viveka en chuchotant :) *On dirait presque que les fils ont brûlé.*»

Viveka (Chuchotant également.) : «*Ils ont dû s'effilocher à cause du vent.*»

Pendant qu'ils conjecturaient, s'inquiétaient, prenaient soin d'elle, la recousaient et écoutaient les infos locales, Frankie s'efforçait de retourner en esprit sur cette plage imaginaire où elle s'ébattait librement avec Brett. Elle finit par y arriver… mais il pleuvait.

Frankie avait dû s'endormir, car elle ne se souvenait pas du moment où ses parents étaient partis et avaient éteint la lumière. Cela faisait à présent une heure qu'elle était allongée dans le noir à écouter les Glitterati s'enterrer dans le sable et à se demander comment expliquer sa mystérieuse disparition à ses copines. Mentir à ses parents à propos de son expédition au spa était une chose, mais comment est-ce qu'une pile électrique humaine pouvait servir à ses amies la vieille excuse éculée du téléphone qui n'a plus de batterie ? Il lui faudrait beaucoup d'entraînement pour y arriver.

« Hou hou hou. »

Frankie débrancha Carmen Electra et releva la tête.

« Hou hou hou. »

Soit il y avait une chouette dans la maison, soit ses parents testaient de nouvelles sonneries de téléphone.

Elle regarda les Glitterati, dont les petites pattes auraient gratté frénétiquement contre la paroi de leur cage s'ils avaient tenté de fuir ou de répondre à une attaque d'un prédateur ailé. Les souris de laboratoire dormaient, roulées telles de petites boules à facettes, blanches et brillantes.

« Hou hou hou. »

—Allô ? fit Viveka dont les intonations traduisaient l'inquiétude. (Sa voix était étouffée par l'épaisseur du mur.) Je comprends… Nous serons là aussi vite que possible.

Quelques secondes plus tard, Frankie entendit des pieds nus courir sur le béton ciré, des portes de placard coulisser sur leurs rails et un bruit de chasse d'eau.

Dans les films, les coups de téléphone en pleine nuit signifiaient que quelqu'un était mort. Ou qu'il y avait le feu à l'usine. Ou que des aliens avaient laissé de grands cercles calcinés au milieu des champs. Mais c'était la vraie vie et Frankie n'avait aucune idée de ce qui avait pu se passer.

Sa porte s'entrouvrit. Le mince ruban de lumière en provenance du couloir s'élargit tel un éventail japonais.

—Frankie? chuchota Viveka, qui portait déjà son rouge à lèvres violet.

—Oui?

Frankie cligna des yeux dans la lumière.

—Habille-toi. Nous devons aller quelque part.

—Maintenant? (Frankie regarda l'écran de son téléphone.) Il est 4 heures du matin!

Viveka remonta la fermeture Éclair de la veste à capuche de son survêtement noir Juicy, ses minuscules boulons momentanément exposés.

—On part dans trois minutes.

Elle entendit Viktor remplir deux mugs de café à emporter.

Frankie bondit sur ses pieds. Le sol était froid. Ses nouvelles sutures la tiraillaient.

—Il me faut au moins une demi-heure pour appliquer mon maquillage et…

—Oublie ton maquillage. Des manches longues et une capuche feront l'affaire.

—Où est-ce qu'on va ? questionna Frankie, partagée entre la peur et l'excitation.

—On t'expliquera en route.

Viveka quitta la pièce, sans refermer complètement la porte.

La pluie avait cessé, mais le vent soufflait toujours. Un clair de lune argenté se reflétait sur le pavé luisant, évoquant pour Frankie un grand bol de lait. Sauf qu'au lieu des feuilles mortes qui jonchaient l'impasse elle aurait mis dans le sien des céréales aux fruits multicolores.

—Où est-ce qu'on va ? tenta-t-elle sa chance auprès de Viktor.

Il répondit par un bâillement en sortant la Volvo du garage.

—À une réunion, dit Viveka, d'un ton un peu inquiet.

—À l'université ?

—Un autre genre de réunion, ajouta Viktor, les yeux rivés sur les feux arrière de la Prius noire qu'il suivait.

Étant donné l'heure matinale, un nombre surprenant de véhicules circulaient dans Radcliffe Way.

—Je ne suis quand même pas née d'hier, vous savez. Je vois bien qu'il se passe quelque chose, dit Frankie brusquement.

—Frankie. (Viveka se retourna pour la regarder dans les yeux. Pendant un bref instant, l'odeur de son huile corporelle au gardénia envahit l'habitacle.) Tu te souviens que nous t'avions dit qu'il y avait d'autres gens comme nous à Salem.

—Les RAD ?

—Exactement. Quand il se passe quelque chose au sein de notre communauté, nous nous réunissons pour en discuter.

—Il s'est passé quelque chose ? demanda Frankie en ouvrant la vitre pour aspirer l'air frais de la nuit. (Viveka hocha la tête.) Est-ce que c'est ma faute? (Viveka acquiesça de nouveau. Frankie lâcha des étincelles.) Qu'est-ce qu'ils vont me faire?

—Rien! l'assura Viveka. Personne ne sait que c'est toi.

—Et personne ne le saura jamais, souligna Viktor.

—Nos petites réunions vont te plaire. Pendant que les adultes discutent, les enfants restent ensemble entre RAD, expliqua Viveka.

Un frisson chatouilla la poitrine de Frankie à la place de son cœur.

—Je vais rencontrer d'autres RAD?

Brett! Brett! Brett! Brett! Brett!

—Eh oui! (Viveka sourit et se retourna vers la route.) Mme J est une merveilleuse éducatrice. Elle anime des discussions sur les problèmes qui concernent les jeunes et…

—Mme J, la prof de sciences? l'interrompit Frankie.

—Baissez le ton et remontez les vitres, chuchota Viktor alors qu'il bifurquait dans Front Street. (Il se gara sur une place vide le long du trottoir à côté du jardin public et coupa le moteur.) Chut! souffla-t-il, un doigt sur les lèvres.

Le manège des quais se trouvait de l'autre côté de la rue, ses chevaux peints immobiles et silencieux, comme le reste de Salem. Les feux tricolores passèrent du rouge au vert, puis à l'orange et de nouveau au rouge, faisant leur numéro pour un public absent. Même le vent avait cessé de souffler.

Qu'est-ce qu'ils attendent?

Frankie devait faire des efforts pour s'empêcher de décharger son trop-plein d'électricité. Le faisceau d'une torche balaya le pare-brise.

—Allons-y, dit Viktor en descendant de voiture.

Un homme surgit, tout de noir vêtu. Sans un mot, il prit les clés de Viktor et s'éloigna dans leur voiture. Trop effrayée pour parler, Frankie regarda ses parents sur le trottoir désert, mille questions au fond des yeux.

—Il est seulement allé la garer, murmura Viktor. Suivez-moi.

Il leur offrit ses mains, et guida sa femme et sa fille derrière un épais bosquet. Après quelques rapides coups d'œil alentour, il se baissa et tâta l'herbe mouillée.

—Je l'ai, dit-il en soulevant ce qui ressemblait à un anneau rouillé.

Une sorte de sas s'ouvrit alors à ses pieds, à l'intérieur duquel il fit entrer Frankie et Viveka.

—Qu'est-ce que c'est que ce truc ? demanda Frankie en s'émerveillant du sentier souterrain qui serpentait devant eux.

Couvert de pavés ronds et éclairé par des lanternes, il sentait la terre et l'aventure.

—C'est le chemin qui mène au RIP. (La voix de Viktor résonna.) Pour RAD Intel Party.

Frankie sourit de toutes ses dents.

—C'est une fête, alors ?

—Ça peut le devenir, répondit Viktor avec un clin d'œil à sa femme, qui gloussa.

Le bourdonnement sourd des voitures sur la route au-dessus de leurs têtes faisait vibrer les parois du souterrain, mais Frankie contint ses étincelles. Animée de l'espoir de voir Brett, elle suivit ses parents sur le chemin pavé du même pas sautillant et avec la même euphorie que si elle allait passer la journée à Disneyland.

Une antique porte de bois aux épais gonds de fer les accueillit au bout d'un court trajet.

— Nous y sommes, chuchota Viktor.

— Mmmh, ça sent le pop-corn, dit Frankie en se frottant le ventre.

— C'est parce que nous sommes juste en dessous du stand de pop-corn de Mel, expliqua Viveka pendant que Viktor cherchait sa clé. Bientôt, nous serons sous le manège.

— Voltage !

Frankie leva la tête, mais ne distingua rien d'autre qu'un plafond terreux et quelques crochets brisés d'où auraient dû pendre des lanternes.

— Ce sont des RAD qui ont construit ce manège, tu sais, déclara fièrement Viveka. Un couple de Grecs très sympathiques qui vivaient dans un haras, du nom de M. et Mme Gorgone. Je crois que leur fils Deuce est en seconde, comme toi. (*Le petit ami de Cléo ? Sait-elle que c'est un RAD ?*) Les Gorgone ont le pouvoir de transformer en pierre tout ce qui croise leur regard, poursuivit Viveka. Un jour, Maddy Gorgone a entendu du bruit aux écuries. Il se trouve que les enfants des palefreniers s'amusaient à jeter des cailloux sur une ruche qu'ils ont fait tomber. Quand Maddy est arrivée dans les écuries, il y avait des abeilles partout et elle s'est mise à agiter les bras dans tous les sens pour les écraser. Elle en a perdu ses lunettes, son regard s'est égaré sur les chevaux et hop ! (Viveka claqua des doigts.) Ils ont été instantanément pétrifiés.

» Les Gorgone ont ensuite passé cinq années à les peindre et à les décorer. (Viveka se tut, impressionnée par l'énormité du projet qu'ils avaient entrepris.) Et, en 1991, Maddy Gorgone en a fait don à la ville. (Elle gloussa.) Oh ! il faut que tu l'entendes raconter ça ! C'est vraiment trop comique.

—J'imagine.

Frankie feignit de s'intéresser à l'histoire de sa mère, mais ses pensées étaient revenues à ce qui l'attendait derrière la porte close devant elle et non à ce qui se trouvait au-dessus de leurs têtes.

« Clic. »

Viktor venait d'ouvrir la porte de sa nouvelle vie sociale.

—Tu dois savoir une chose, la mit-il en garde. Ici, nous sommes entre nous. Mais là-haut (il désigna le manège au-dessus d'eux), toute mention du RIP ou de ses membres est interdite. Même dans les conversations entre RAD, ce qui inclut les mails, les textos et les messages sur Twitter.

—Compris.

Frankie poussa son père à l'intérieur d'une pièce circulaire, qu'elle balaya des yeux à la recherche de Brett.

Des gamins de tous les âges en pyjama étaient vautrés sur des canapés ou dans des fauteuils club, comme s'ils passaient la nuit dans le sous-sol d'un copain. Sauf que tout ce qui se trouvait ici était revêtu d'une couche de pierre blanche et lisse. Apparemment, Maddy Gorgone perdait ses lunettes plus souvent qu'à son tour.

—Voltage ! s'exclama Frankie, le souffle coupé. Regardez tous ces gens !

—Viktor, Viv!

Une femme arborant des lunettes de soleil mouche de chez Dior les accueillit à bras ouverts. Ses cheveux étaient empilés haut sur sa tête sous un turban Pucci vert d'eau et son tailleur-pantalon de lin blanc était étonnamment chic, même s'il n'était plus dans le coup depuis la fête du Travail et la fin de l'été.

—Maddy Gorgone, voici notre fille, Frankie, la présenta Viveka, rayonnante.

Maddy porta ses mains à sa bouche d'un air ravi.

—Oh! Viv, elle est superbe! Viktor a fait un boulot fabuleux.

Frankie était sur un petit nuage. Elle était verte de la tête aux pieds et quelqu'un la trouvait fabuleuse! Quelqu'un d'autre que ses parents!

—Je suis ravie de faire votre connaissance, madame Gorgone.

Frankie lui tendit la main sans se soucier de faire des étincelles.

—Appelle-moi donc Maddy, déclara la femme. Ou belle-maman. (Elle se pencha et dit à l'oreille de Frankie :) Si jamais Deuce laisse tomber Cléo, compte sur moi pour te passer un coup de fil. (Elle tapota un de ses verres fumés avant d'ajouter :) Là, je te fais un clin d'œil. (Frankie était radieuse.) Si tu veux bien m'excuser, poursuivit Maddy en reprenant son sérieux, je vais t'emprunter tes parents.

Elle plaça une main dans le dos de Vik et Viv pour les entraîner à l'intérieur.

Une fois les adultes partis, quelqu'un balança *Bust Your Windows*, de Jazmine Sullivan, extrait de la bande-son de *Glee*, et tout le monde se mit à danser. D'après ce que pouvait voir Frankie, elle était la seule à arborer des boulons et des points de suture, mais elle aperçut plusieurs personnes avec des serpents sur la tête en guise de cheveux, un couple avec des branchies en train de s'embrasser à côté du cactus de pierre, plusieurs longues queues battant la mesure et même une fille à la peau de serpent comme la pochette Fendi hyper voltage qu'elle avait vue dans *Vogue*.

— Frankie ! l'appela une voix qui lui était familière.

Elle se retourna.

— Lala ? Qu'est-ce que tu fais ici ?

— Je pourrais te retourner la question, mais... (Elle toucha la main verte de Frankie.)... la réponse saute aux yeux. En plus, le bruit courait depuis un moment que ton père fabriquait une fille. Mais je ne savais pas qu'elle serait aussi... voltage.

Frankie se délecta d'entendre son expression.

— Tu étais déjà au courant quand on est allées au spa ?

— Je m'en doutais. On s'en doutait toutes, confessa Lala. Mais on n'a pas le droit de parler des trucs de RAD à l'extérieur. (Elle montra le plafond.) Alors, on attendait la prochaine réunion du RIP pour confirmation.

— Eh bien, je confirme. (Frankie lui adressa un sourire rayonnant, s'abandonnant avec délices à la sensation de légèreté que lui procurait cette nouvelle liberté.) Euh... et toi, tu es quoi ? balbutia-t-elle, craignant que ce ne soit pas la bonne façon de poser la question, s'il y en avait une.

Lala recula d'un pas, planta ses mains sur ses hanches et lui sourit.

Des mèches roses et noires… un pyjama de satin noir imprimé de chauve-souris roses… une écharpe et des gants en cachemire… des yeux sombres noyés d'eye-liner… des traces de mascara sur le front… c'était bien la Lala qu'elle connaissait.

—Je ne vois pas, abandonna Frankie en haussant les épaules.

—Regarde mieux.

Lala sourit plus largement encore à l'intention d'un photographe imaginaire.

—Des crocs de vampire! hurla Frankie pour se faire entendre par-dessus la musique. Tu as des crocs de vampire! C'est pour ça que tu ris toujours la bouche fermée.

Lala hocha la tête avec enthousiasme.

Frankie était sur le point de s'extasier sur le fait qu'elles soient toutes les deux des RAD quand une autre voix familière lui parvint.

—Salut, les meufs! lança Lagoona en vaporisant ses bras dénudés couverts d'écailles avec la bombe d'eau d'Évian du spa. (Ses avant-bras portaient des excroissances triangulaires qui ressemblaient à des nageoires et les doigts de ses mains et de ses pieds étaient palmés.) Alors, confirmation?

Lala souleva le bras de Frankie pour montrer ses sutures.

—Trop bien! (Ses nageoires frétillèrent d'aise.) Bienvenue au club!

—Ahhhhhh, bâilla Cléo en s'avançant vers elles d'une démarche paresseuse.

À part ses pieds, chaussés de ses habituelles compensées dorées, et ses mains couvertes de bagues, elle était complètement emmaillotée de fines bandelettes de tissu blanc. Ça lui donnait le même look futuriste que Rihanna aux American Music Awards de 2009.

—Quelqu'un sait ce qui se passe ? Il y a eu une nouvelle apparition de monstre ?

Lala haussa les épaules en signe d'ignorance.

—Est-ce qu'il est là ? demanda Cléo.

Lala désigna trois garçons assis sur un tapis de pierre un peu plus loin. Deuce semblait en pleine méditation. Assis en tailleur et les yeux abrités derrière ses lunettes de soleil, il jouait de la flûte pour l'enchevêtrement de serpents verts qui s'agitaient sur son crâne.

—C'est pas comme ça qu'il va te faire avaler des couleuvres, plaisanta Lala.

Cléo gloussa derrière sa main avant de tourner le dos à son petit ami infidèle amateur de normies.

—Je n'arrive pas à croire que tu es là, toi aussi ! s'exclama Frankie en respirant une pleine bouffée de parfum ambré.

—Je pourrais en dire autant, sauf que ça ne me surprend pas du tout, répliqua Cléo d'un air suffisant. Envoie la thune, maintenant.

—Hein ?

—Pas toi ! Draculaura ! précisa-t-elle sans plus de façon, ses yeux fatigués parfaitement bordés de khôl. J'ai parié avec Vampirella que tu étais des nôtres dès la première fois que j'ai posé les yeux sur toi. Elle me doit 10 dollars.

—Qui est Draculaura ?

—C'est mon nom de RAD… mon vrai prénom, expliqua Lala en tendant à Cléo un billet de 10 dollars.

Cléo le plia en forme de pyramide et le glissa dans son décolleté bandé de lin.

—Peut-être que si ma famille touchait des royalties sur les films de *La Momie* avec Brendan Fraser ou sur tous ces horribles costumes qu'ils sortent pour Halloween je n'aurais pas besoin de venir te taper.

—Même sans ça, tu n'as pas besoin de mon argent... Mais imagine un peu comme je serais blindée si je touchais sur *Twilight*? dit Lala.

—Je viendrais bien faire «ouin-ouin» avec vous, les meufs... (Lagoona gratta ses bras écailleux) mais *L'Étrange Créature du lac noir* n'a jamais déplacé les foules.

—Comment as-tu deviné que j'étais une RAD? s'inquiéta Frankie, se demandant soudain qui d'autre pouvait l'avoir percée à jour.

—Il me semblait t'avoir vue lâcher des étincelles à la cafète, répondit Cléo. Et puis aussi dans la voiture de Lala.

—Il n'y a pas que là que j'ai fait des étincelles hier, gloussa Frankie.

—C'est toi qui as tout fait sauter? demanda Lagoona.

Frankie hocha la tête d'un air penaud.

—As-tu idée à quel point je déteste me retrouver dans le noir? l'accusa Cléo. Ça me rappelle quand ils m'ont enterrée vivante.

—Il m'avait bien semblé t'entendre crier.

—Ma masseuse a dû me porter sur son dos pour me faire sortir, avoua Cléo. J'étais pétrifiée de peur.

—Tu veux dire momifiée, la charria Lala.

Les filles éclatèrent de rire.

—C'est trop voltage que vous soyez toutes des RAD, roucoula Frankie. Je n'aurais jamais imaginé…

Le bruit de la porte d'entrée l'interrompit. Tout le monde se retourna pour voir entrer une meute de garçons au style preppy, quoique fort chevelus, qui tenaient dans leurs longues mains des sacs en papier géants de chez McDonald's. Sans dire un mot, ils s'installèrent à la table de pique-nique en pierre et entreprirent de dévorer leurs Big Mac.

—Claude! cria Cléo au plus âgé des garçons. (Il avait des cheveux bruns et bouclés et portait un blazer bleu marine sur un pantalon kaki.) Où est ta sœur?

—Elle s'est encore fait taguer.

Cléo et Lala échangèrent une mimique compatissante.

—Pas la peine de le hurler sur tous les toits! brailla Claudine depuis le seuil.

—C'est toi qui hurles, pas moi, répliqua-t-il en déballant un second Big Mac dont il jeta le pain.

—Qu'est-ce que je vais faire? (Claudine entra dans la pièce en sanglotant.) Regardez-moi ça.

Elle tira sur la fourrure rouge sang autour de son cou.

—Qu'est-ce qui s'est passé? demanda Cléo en lui tapotant le bras.

—Je suis encore tombée sur des activistes de la Peta qui croient que je porte de la fourrure.

—C'est la vérité, lui fit valoir Frankie.

—Oui. (Claudine déboutonna son manteau bleu marine, révélant son pelage fauve en dessous.) Mais je n'ai pas le choix!

Frankie s'étrangla d'horreur. Pas tant du choc que lui causa la vue de la fourrure de loup-garou de Claudine sous sa nuisette sexy qu'au souvenir qu'elle lui avait suggéré de l'enlever. Si seulement elle avait su !

—Grrr ! grogna la louve. Si ce générateur de mes deux n'avait pas disjoncté hier après-midi, j'aurais eu mon épilation et rien de tout ça ne serait arrivé.

Frankie s'assit sur l'accoudoir d'un canapé voisin et fit semblant d'examiner les sutures de ses chevilles.

—Tout va bien. C'est fini maintenant. (Cléo prit dans ses bras la lycanthrope stressée.) Ce n'est pas la mer Rouge à boire.

Claudine éclata de rire et s'essuya le nez sur l'épaule drapée de bandelettes de lin de Cléo.

—Je crois que c'est le truc le plus débile que j'ai entendu.

—T'as pas entendu le truc des couleuvres de Lala.

—Tu sais, dit Lala en caressant le pelage taché de rouge de Claudine pour changer de sujet, je trouve que ça fait punk rock.

Claudine la dévisagea.

—Qu'est-ce que tu as sur le front ?

—Mascara ! s'écria Lagoona.

—Comme c'est étonnant, railla Cléo.

—Quoi ? (Lala lui montra les dents.) Je ne vois pas mon reflet dans les miroirs, d'accord ? Au moins, je ne baisse pas les bras, se défendit-elle en se laissant tomber sur le canapé à côté de Frankie.

—Hé ! qu'est-ce qu'elle fait là ? demanda Claudine, s'avisant soudain de la présence d'une nouvelle.

Frankie lui montra ses boulons.

— Oh, cool ! répondit-elle en s'asseyant, imperturbable, comme si elle faisait des piercings de cou tous les jours.

Frankie remarqua des lettres brodées sur sa nuisette : « Clawdeen ».

— Tiens, dit-elle en les montrant. C'est comme ça que s'écrit ton nom ? C'est cool.

Claudine baissa les yeux.

— C'est comme ça que mes parents l'écrivent, mais à l'école c'est plus simple d'adopter la graphie des normies. Ça m'évite des commentaires trop lourds.

Mme J entra dans la pièce et referma la porte de bois au loquet.

Et Brett ?

Frankie poussa un gros soupir. Il ne viendrait pas. Ce n'était pas un RAD. Il n'était pas pour elle.

Quand Mme J coupa la musique, tout le monde s'assit, comme au jeu des chaises musicales. Lagoona s'enveloppa dans un peignoir en éponge rouge et rejoignit ses copines sur le canapé.

— Désolée pour le retard, s'excusa Mme J. J'ai eu des problèmes de voiture.

— Tiens, faites-moi penser à la ressortir, celle-là, la prochaine fois que je serai en retard en cours de sciences, aboya Claude.

Tout le monde ricana.

— Passe ton permis d'abord, répliqua Mme J en montant sur le podium de pierre qui faisait face à la brochette de filles.

— Plus que onze jours, annonça Claude.

Les RAD applaudirent. Claude se leva et salua la foule pendant que Frankie observait Mme J de plus près. Des lunettes à la Woody Allen, des cheveux noirs coupés en carré court, du rouge à lèvres rouge pétant et une collection de jupes crayons et de blouses dans diverses teintes de noir faisait d'elle un professeur digne d'intérêt. Mais, comme RAD, elle manquait d'allure.

— Elle est quoi? demanda Frankie à Lala à voix basse.

— C'est une normie, mais son fils est un RAD, sauf qu'il ne le sait pas. Elle pense qu'il vaut mieux pour lui qu'il ne soit pas au courant.

— Est-ce que c'est Brett? chuchota Frankie avec enthousiasme.

— Manquerait plus que ça, répondit Lala, feignant de se pâmer.

— Avant de parler de ce qui nous intéresse ce soir, laissez-moi vous présenter notre tout dernier membre, dit Mme J. Il s'agit de Frankie Stein.

Frankie se leva sous les applaudissements. Leurs sourires étaient chaleureux comme des petits pains sortant du four, et elle les leur rendit avec tout son corps.

— Merci de vous présenter à Frankie après cette réunion, pour ceux qui ne l'ont pas déjà fait. Bon, on attaque…, dit Mme J. (Elle compulsa quelques notes jetées sur un bloc jaune.) Comme vous le savez, l'apparition d'un RAD au lycée de Mount Hood a été rapportée la semaine dernière. (Frankie tripota les sutures de son cou.) Je crois qu'il s'agissait d'un canular, mais les normies prennent cette affaire très au sérieux. Plusieurs d'entre eux ont décidé de se cloîtrer chez eux…

—Awouuuuuuuuuu! hurlèrent les frères de Claudine en tapant leurs mocassins sur le sol.

—Couchés! aboya Mme J en secouant ses cheveux noirs. Nous vivons déjà dans un monde de brutes. Un peu de finesse ne nous ferait pas de mal. Compris, les gros lourdauds? hurla-t-elle. (Les garçons se turent immédiatement.) Ce que je veux dire, c'est que nous devons nous montrer extrêmement prudents jusqu'à ce que cette histoire se tasse. Nos relations avec les normies doivent rester amicales, mais distantes.

Cléo leva la main.

—Madame J? Quand vous dites «distantes», ça inclut de ne pas embrasser Mélonase?

—C'est une normie? (Cléo acquiesça. La prof enleva ses lunettes pour lui lancer un regard qui voulait dire: «Es-tu sérieusement en train de me poser cette question?») Alors, tu connais la réponse.

Deuce se leva pour affronter sa petite amie.

—Cléo, il faut que tu oublies ça! (Les serpents sur sa tête sifflèrent en signe de soutien.) Je t'ai déjà dit qu'elle s'était jetée sur moi. Je n'y suis pour rien. C'est toi que j'aime et je n'aime que toi.

Cléo battit de ses cils épais (qui étaient peut-être faux).

—Je sais. Je voulais juste te l'entendre dire devant tout le monde. De toute façon, elle n'est pas amoureuse de toi, mais de Jackson.

Tout le monde gloussa, sauf Mme J – et Frankie, qui ne pouvait s'empêcher de se demander ce que tous les garçons trouvaient à cette Mélodie. À ses yeux, ce n'était qu'une voleuse de mecs.

— As-tu terminé, Cléo ? demanda Mme J.

— Ça dépend. (Elle regarda Deuce dans les yeux.) As-tu terminé avec ça, toi ?

Deuce hocha la tête et souffla un baiser à Cléo, qui lui en souffla un autre en retour.

Deuce se rassit sur son tapis de pierre. Il remit ses écouteurs et les serpents sur sa tête s'assagirent aussitôt.

Cléo regarda Mme J avec un sourire narquois.

— À présent, oui, j'ai terminé.

— Bien joué !

Clawdeen leva une main et Cléo tapa dedans.

— Si plus personne n'a rien à ajouter, je voudrais vous parler maintenant d'un sujet un peu plus… pressant. (Mme J se leva et remonta les manches bouffantes de son chemisier noir.) J'ai appris au cours de la réunion du personnel de vendredi que le bal de rentrée de cette année sera costumé et qu'il y aura un thème.

Lagoona leva une main palmée.

— Le monde de la mer ?

— Je ne crois malheureusement pas, Lagoona Blue, déplora Mme J. À cause de cette prétendue apparition de monstre, ils ont pensé qu'il serait amusant de choisir le thème de… de… (Elle prit une profonde inspiration avant de cracher dans un souffle :)… la parade des monstres !

Ses paroles déclenchèrent une réaction si explosive que Frankie visualisa le manège propulsé dans les airs et descendant Front Street en tournoyant comme une toupie.

—C'est insultant!

—C'est toujours la même chose!

—On a fait ça à l'école primaire, c'était déjà complètement nul.

—Pourquoi pas une parade de normies pour changer?

—Ouais, on s'habillerait tous pareils et on ne ferait rien de spécial.

—Mais, si on se déguise en normies, il faut rester chez nous.

—Et s'enfermer à double tour.

—Et on se racontera des histoires de monstres pour se faire peur.

Frankie jeta des étincelles. Pas parce qu'elle trouvait insultant le thème d'une parade des monstres, bien au contraire. Elle trouvait même que c'était une idée géniale. Ne rien dire alors qu'elle avait peut-être raison lui semblait une option bien pire que de parler au risque d'avoir tort.

Elle leva la main.

—Hum, je peux dire quelque chose?

Sa voix ne portait pas assez pour attirer l'attention, mais le bouquet d'étincelles qu'elle fit jaillir au bout de ses doigts fit parfaitement l'affaire. Une fois que tous les gamins se furent calmés, ses étincelles s'éteignirent. Tout le monde la regardait avec curiosité, mais Frankie n'était pas intimidée. Elle savait que ce qu'elle s'apprêtait à déclarer les impressionnerait encore plus que son feu d'artifice.

—Hum, je trouve que le thème de la parade des monstres est une bonne chose pour nous. (Les protestations fusèrent de plus belle. Cléo lui balança un coup de pied dans le tibia comme dans la voiture, mais Mme J tapa deux fois dans ses mains et redonna la parole à Frankie.) Je crois qu'il faut prendre le fait que les normies veuillent s'habiller comme nous pour un compliment, dit-elle. L'imitation n'est-elle pas la plus sincère des flatteries ? (Quelques têtes s'inclinèrent, réfléchissant à ce que disait Frankie.) Je veux dire, vous n'en avez pas marre de copier leur style ? (Lala et Lagoona applaudirent, le doux bruit de leur approbation électrifiant Frankie comme les rayons du soleil.) C'est peut-être un signe des temps. Que les normies sont prêts pour le changement. Ils attendent peut-être qu'on leur montre qu'ils n'ont rien à craindre de nous. Et il se pourrait bien que la meilleure façon de le faire soit de participer à la parade des monstres sans déguisement.

Les murmures enflèrent et montèrent dans l'air comme des ballons d'hélium. Mme J leva une main pour les faire taire.

— Que suggères-tu exactement ? demanda-t-elle à Frankie.

Frankie tira sur les sutures de son cou.

— Hum, je dis qu'un bal costumé sur le thème des monstres est pour nous l'occasion rêvée d'y aller tels que nous sommes. Ensuite, quand la fête battra son plein et que tout le monde s'amusera, nous pourrons montrer aux normies que nous ne sommes pas déguisés. Ils se rendront compte que nous sommes inoffensifs et nous pourrons vivre au grand jour en toute liberté.

Le silence se fit dans la salle.

— Je pourrais enfin porter les cheveux longs, plaisanta Deuce.

— Je pourrais enlever ce ridicule blazer, dit Claude.

— Je pourrais sourire sur les photos, proclama Lala.

—Ça ne changera rien, railla Cléo. Tu n'impressionnes pas la pellicule, de toute façon.

Lala lui montra les dents. Cléo leva les yeux au ciel. Elles pouffèrent toutes les deux.

—Nous allons soumettre cette proposition à un vote, dit Mme J. Que tous ceux qui sont pour sortir de l'ombre à l'occasion du bal de rentrée lèvent la main. (Frankie leva le bras. Elle fut la seule.) Que ceux qui préfèrent continuer à se cacher lèvent la main?

Tout le monde leva la main et Mme J en leva deux.

—Vraiment?

Frankie se rassit, incapable de croiser le regard de personne. Personne n'essaya non plus. La déception et la honte se disputaient la place de son cœur. Mais le découragement le plus total arriva sans crier gare et leur vola la place sur le podium.

De quoi avaient-ils peur? Les choses ne changeraient jamais s'ils refusaient de prendre des risques. *Pourrai-je danser un jour sur la plage avec Brett?*

—Les votes sont clos, annonça Mme J. Quarante-trois voix contre une…

—Deux! fit la voix d'un garçon.

Frankie fouilla la salle du regard à la recherche de son seul supporter sans voir personne.

—Par ici, dit une étiquette flottant au-dessus d'elle. (Il y avait écrit: « Salut, je m'appelle Billy. ») Hé! je voulais juste que tu saches que j'ai voté pour ton idée.

—Voltage, dit Frankie, tâchant de montrer un peu d'enthousiasme à son frère d'armes invisible.

— Qu'est-ce qu'on est ? cria Mme J.

— Fiers de vivre cachés ! lui répondit la salle d'une seule voix.

D'une seule voix, sauf celle de Frankie.

CHAPITRE PERDU
(DONT NOUS OUBLIERONS LE NUMÉRO PORTE-MALHEUR)

CHAPITRE 14

MONSTRE PERCHÉ

—Quelqu'un peut me dire ce que signifie «autotrophe»?
demanda Mme J à ses élèves de sciences en leur montrant une
fiche cartonnée.

Frankie leva une main couverte de fond de teint Absolue
Perfection. Alors que la plupart de ses amies bâillaient encore
après la réunion tardive du RIP de la veille, elle était chargée à
bloc – sans faire sauter les plombs cette fois.

—Frankie, oui? l'interrogea Mme J.

—Un organisme autotrophe tire directement son énergie
du soleil.

—Très bien. (Elle leur montra une autre fiche.) Et
«anabiotique»?

Frankie leva encore la main, regrettant de ne pas avoir
choisi un vêtement plus confortable que cette veste de tweed
qui la grattait et la gênait aux entournures. Au moins, grâce à
l'écharpe de cachemire rose qu'elle avait empruntée à Lala, elle
n'était pas obligée d'en relever le col, mais elle était condamnée
à garder son écharpe en classe. Et après? Elle porterait une

minerve? une collerette en plastique pour chien? la fourrure taguée de Clawdeen?

Mme J parcourut des yeux les quatre rangées de bureaux. Ses yeux noisette examinèrent chaque élève avec une égale attention comme si la soirée de la veille n'avait jamais eu lieu.

Pendant ce temps, Lala, Cléo, Clawdeen et Lagoona affichaient la même attitude léthargique. Vêtues de leurs tenues d'école habituelles, elles griffonnaient distraitement sur leur cahier, cherchaient les fourches dans leurs cheveux, grattaient leurs cuticules… Elles se comportaient exactement comme toutes les autres filles de la classe, pétries d'ennui.

La seule personne qui semblait accorder une pensée aux RAD était Brett. Assis à côté de Frankie, il dessinait une zombie en bikini sur son bureau. C'était un signe indéniable. La plage serait bientôt à eux.

—Oui, Frankie? l'interrogea de nouveau Mme J d'une voix un peu lasse.

—«Anabiotique» se dit d'un organisme dont les fonctions vitales sont momentanément suspendues.

—Bien. (Elle prit une troisième fiche.) Et «biotique»?

—C'est un cyborg! s'exclama Brett. Comme Steve Austin dans cette vieille série, *L'homme qui valait trois milliards*.

—Qui ça? demanda Bekka, légèrement jalouse.

—Ce type était incroyable, poursuivit Brett, tout excité. Il était capable de courir à 100 km à l'heure, son œil pouvait zoomer et…

—Ça, c'est «bionique», le corrigea Mme J. (Tout le monde ricana.) J'ai demandé le sens de «bio-tique».

Bien décidée à montrer à Brett qu'elle n'était pas qu'une jolie poupée, Frankie leva encore une fois la main.

—Quelqu'un d'autre que Frankie? soupira Mme J.

On entendait les mouches voler.

—«Biotique» se dit d'un organisme vivant, répondit Frankie, bénissant l'obsession de ses parents pour la biologie.

—Bien. (Mme J saisit délicatement un bâton de craie entre le pouce et l'index, attentive à ne pas déplacer la poussière blanche sur le rebord du tableau, ce qui aurait été du plus mauvais effet sur ses vêtements noirs.) Comme vous le savez, toute chose est soit…

Frankie l'interrompit en levant une nouvelle fois la main :

—Les morts-vivants sont-ils anabiotiques?

Lala, Cléo, Clawdeen et Lagoona levèrent la tête et échangèrent des regards inquiets.

Mme J retira ses lunettes cerclées de noir.

—Je te demande pardon?

Frankie ne voyait pas pourquoi elle aurait dû être intimidée par une prof qui crevait manifestement de trouille. Déclencher une prise de conscience était la première étape pour provoquer le changement… et se faire remarquer de Brett.

—Et les zombies? les vampires et les fantômes? Ils appartiennent à quelle catégorie?

—Ouais! s'écria Brett. Les zombies sont anabiotiques, c'est sûr.

Il sourit à Frankie qui, rayonnante, lui rendit son sourire. Assise de l'autre côté de Brett, Bekka donna un coup de pied dans sa chaise.

Mme J reposa violemment sa craie sur le rebord du tableau.

— Ça commence à bien faire! C'est un cours de sciences ici, pas de mythologie et…

«Tuuuuuuuuuuuuuu, tuuuuuuuuuuuuuu, tuuuuuuuuuuuuuu, tuuuuuuuuuuuuuu…»

— Sur les tables! ordonna Mme J en grimpant sur son bureau face à la classe.

Personne ne bougea. Au lieu de ça, chacun regardait son voisin, se demandant s'il s'agissait d'une caméra cachée. Comment expliquer autrement cette sirène assourdissante, l'hystérie subite de leur professeur et la confusion qui régnait?

«Tuuuuuuuuuuuuuu, tuuuuuuuuuuuuuu, tuuuuuuuuuuuuuu, tuuuuuuuuuuuuuu…»

— Immédiatement! C'est un exercice d'alerte!

Cette fois, les élèves s'exécutèrent.

— Heureusement que je n'ai pas mis de talons aujourd'hui, ironisa Cléo en admirant les lanières couleur bronze de ses spartiates compensées de sept centimètres.

Les filles gloussèrent, ne sachant toujours pas quel était le but de cet exercice.

«Tuuuuuuuuuuuuuu, tuuuuuuuuuuuuuu, tuuuuuuuuuuuuuu, tuuuuuuuuuuuuuu…»

— Silence! leur intima Mme J.

— C'est à la sirène qu'il faut dire ça, rétorqua Clawdeen, les mains plaquées sur les oreilles et le visage déformé par la douleur. C'est assourdissant.

«Tuuuuuuuuuuuuuu, tuuuuuuuuuuuuuu, tuuuuuuuuuuuuuu, tuuuuuuuuuuuuuu…»

—Tu as peut-être les oreilles bioniques de Super Jaimie, plaisanta Brett, perché sur son bureau.

—Ou bien des sens canins, ajouta Bekka.

—Tu le saurais déjà, siffla Clawdeen. Avec toutes tes taches de rousseur, tu dois être au moins à moitié dalmatienne.

Scotchée, Bekka se tourna vers Brett dans l'espoir qu'il prendrait sa défense. Mais il ne pouvait pas, trop occupé qu'il était à réprimer un fou rire.

«Tuuuuuuuuuuuuuu, tuuuuuuuuuuuuuu tuuuuuuuuuuuuuu, tuuuuuuuuuuuuuu…»

—Maintenant, levez vos chaises et faites semblant de frapper un agresseur, poursuivit Mme J, montrant l'exemple sur son propre bureau. (Avec sa jupe noire, sa blouse de satin et ses lèvres furieusement rouges, on aurait dit une photo illustrant une nouvelle tendance dompteuse-de-lion-chic dans un magazine.) Et faites autant de bruit que vous pouvez.

Elle observait ses élèves, à divers stades de l'exécution des consignes. Cependant, même les plus disciplinés ne pouvaient se résoudre à faire le bruit demandé.

—Qu'est-ce que c'est que ce cirque? demanda Cléo, se refusant à soulever une chaise aussi lourde sans une raison majeure.

Des hurlements, des cris de joie, des glapissements et des piétinements résonnaient dans les couloirs vides. Manifestement, les autres classes se montraient plus réceptives à ce mystérieux exercice.

—C'est une alerte, répéta Mme J, continuant à donner des coups dans le vide avec les pieds de sa chaise.

«Tuuuuuuuuuuuuu, tuuuuuuuuuuuuu, tuuuuuuuuuuuuu, tuuuuuuuuuuuuu...»

— Quel genre d'alerte ? demandèrent plusieurs voix en même temps.

— Une alerte aux monstres, d'accord ?

— Une quoi ? demanda Lala sans desserrer les lèvres.

— Une alerte aux monstres. (Mme J reposa sa chaise.) Au cas où ils se manifesteraient dans notre école. Le proviseur Weeks pense qu'il faut nous tenir prêts.

Ce n'était pas une blague ? Frankie était perturbée par l'attitude détachée de son professeur. *Est-elle vraiment d'accord avec tout ça ?*

— Yeeehhh !!!

Brett se mit à faire tournoyer sa chaise en beuglant comme un féroce guerrier, bientôt suivi par les autres normies. Frankie ne pouvait pas leur en vouloir : ils avaient hérité de la peur de leurs parents. Et s'ils avaient appris à avoir peur, on pouvait sûrement leur apprendre aussi le contraire, non ?

Évitant de se regarder, Lala, Cléo, Lagoona et Clawdeen se soumirent sans grand enthousiasme à cet absurde exercice, tout comme Mme J.

Frankie aurait voulu pouvoir les imiter. Renier ses convictions pour le bien du plus grand nombre. Se moquer de ce qu'elle était au lieu de le revendiquer. Fière de vivre cachée...

Non, c'était impossible. Rien que d'y penser, la place de son cœur se remplissait de briques. Que les RAD essaient de s'intégrer était une chose, mais faire semblant d'avoir peur d'eux-mêmes, c'était n'importe quoi ! La peur appelle la peur,

189

comme l'avaient démontré les films d'horreur à l'origine de cette situation. Tant que la peur serait présente, rien ne pourrait changer.

«Tuuuuuuuuuuuuu, tuuuuuuuuuuuuu, tuuuuuuuuuuuuu, tuuuuuuuuuuuuu…»

Frankie lâcha sa chaise qui retomba par terre avec fracas, exprimant son refus patent. Mélodie, l'autre nouvelle, en fit autant.

—Ramassez vos chaises, mesdemoiselles. Allez! commanda Mme J comme si leur minirébellion lui était passée au-dessus de la tête.

—Je n'ai pas peur des monstres, décréta Frankie sans la moindre étincelle.

Brett cessa de rugir pour la regarder avec un nouvel intérêt. Ses cheveux noirs effilés étaient dressés dans toutes les directions, mais ses yeux bleus denim étaient rivés droit sur elle.

—Eh bien, tu devrais, grogna Mme J sur un ton menaçant.

—Cool, murmura Brett.

Frankie se tourna vers lui:

—Quoi?

Il désigna son cou. Une décharge électrique parcourut la colonne vertébrale de Frankie, qui venait de se rendre compte que l'écharpe de Lala s'était dénouée pendant cette gesticulation, dévoilant ses boulons cervicaux!

—J'adore tes piercings, lui dit-il à voix basse avant d'ouvrir la bouche et de tirer sa langue ornée d'une boule argentée.

—Cool, gloussa Frankie.

La sirène se tut enfin.

« *Reprenez vos places, s'il vous plaît*, résonna la voix nasillarde de M. Weeks dans les haut-parleurs. *Rassurez-vous, ce n'était qu'un exercice. Mais nous voulons nous tenir prêts en cas de nouvelle apparition de monstre.* »

Frankie leva les yeux au ciel : s'ils savaient que leur fameux « monstre » était un petit génie en cours de sciences.

« *Bon, les p'tits loups... garous.* Il ricana de sa blague minable et poursuivit : *Le personnel enseignant de Merston High a décidé de montrer à ces grosses bêtes qu'elles ne nous font pas peur.* Des cris d'approbation fusèrent de toutes parts. *Le thème du bal de rentrée cette année sera donc... LA PARADE DES MONSTRES!* Il marqua une pause pour permettre aux lycéens d'exprimer leur enthousiasme. *Le couple le plus effrayant gagnera un dîner croisière sur le* Willamette Queen, *alors dépêchez-vous d'acheter vos billets avant qu'il n'y en ait plus du tout – awwww-ouuuuuh! Gniiiaa ahh ahhh ahhhh ahhhhh!* »

Le proviseur Weeks termina son allocution sur cette interprétation toute personnelle d'un hurlement de loup-garou à la pleine lune suivi d'un rire de maniaque. Un roulement de tonnerre conclut son discours. Frankie tira sur les fils de ses sutures pour se donner une contenance.

—Je me déguise en Frankenstein! annonça Brett.

—Et moi, je serai ta fiancée, ajouta immédiatement Bekka, l'agrippant par le bras en foudroyant Frankie du regard.

Ses yeux de lynx n'avaient rien perdu de leur petit échange.

Frankie mourait d'envie de leur dire que c'étaient les costumes de ses grands-parents qu'ils avaient choisis. Et que la vraie robe de mariée de la fiancée de Frankenstein se trouvait dans son garage. Et que Bonne-Maman avait dansé pieds nus ce soir-là parce que ses chaussures frottaient sur ses points de suture. Et qu'à la demande de Bon-Papa tous les hommes avaient enlevé leurs vestes pour en faire un tapis afin que la mariée ne se salisse pas les pieds. Mais c'était une histoire trop effrayante pour être racontée, à ce qu'il paraissait.

Affalée sur sa chaise, Frankie croisa les bras sur sa veste de tweed qui la démangeait toujours. Elle fusilla Mme J du regard, bombardant d'invisibles rayons d'infamie la seule personne qu'elle avait crue capable de leur éviter tout ça. Mais la prof de sciences préféra éviter son regard en se livrant à l'examen minutieux d'une pile de documents.

« Bip-bip-bip ». La sonnerie annonça enfin la fin du cours.

— Frankie, reste un instant, s'il te plaît, la retint Mme J, toujours absorbée dans ses papiers.

Au lieu de lui souhaiter bonne chance, les RAD rassemblèrent leurs livres et quittèrent rapidement la salle tandis que les normies prenaient leur temps, échangeant des idées de déguisement et des confidences à voix basse sur le partenaire de leurs rêves.

Quand la salle fut vide, Frankie s'approcha du bureau de Mme J.

Celle-ci ôta ses lunettes et les posa bruyamment sur la table en bois.

— Qu'est-ce que tu veux prouver ? As-tu la moindre idée des risques induits par ton comportement ? (Frankie émit un bouquet d'étincelles. Mme J soupira.) Écoute, dit-elle en rechaussant ses lunettes. Je sais que tu viens d'arriver et je comprends ta frustration et ton désir de changer les choses. Tu n'es pas la première. Chacun de tes camarades est passé par là, et moi aussi. Nous avons tous essayé d'agir d'une façon ou d'une autre et nous en sommes tous arrivés à la conclusion qu'il était beaucoup plus facile et bien moins dangereux de nous fondre dans la masse.

—Mais...

—Tu me vois aller dans le bureau de... (elle désigna le haut-parleur qui avait diffusé l'allocution du proviseur Weeks)... pour lui dire que sa danse des chaises est grotesque et parfaitement inutile ? Que c'est encore plus ridicule que les vidéos qui passent sur YouTube de Tom Cruise bondissant sur le canapé d'Oprah Winfrey ?

—Mais...

—C'est pourtant ce que j'ai envie de lui dire, et quelques autres vérités par-dessus le marché. (Sa mâchoire se crispa.) Malheureusement, cela m'est impossible. J'ai un fils à protéger. En tant que mère célibataire, je dois faire passer ses besoins avant les miens.

—Mais vous lui rendriez service en disant ce que vous pensez, réussit enfin à placer Frankie. Les choses changeraient et sa vie s'en trouverait améliorée.

—C'est vrai. Le genre de changement auquel tu penses améliorerait très certainement sa vie. (Mme J posa son menton dans ses mains.) Mais ce n'est pas ce que nous obtiendrions. Nous serions obligés de quitter Salem et de tout recommencer de zéro ailleurs. Nous montrer tels que nous sommes nous ramènerait directement dans les années trente, Frankie.

— Hum, je crois que l'exercice d'alerte aux monstres nous y a déjà ramenés.

— Détrompe-toi! À l'époque, nous avons tout perdu; certains y ont même perdu la vie. (Avec douceur, Mme J remit en place l'écharpe rose de Frankie pour bien cacher ses boulons.) Un jour, les choses changeront. Mais, pour l'instant, je te demande – nous te demandons tous – de ne rien dire et de jouer le jeu. (Elle lui sourit gentiment.) Tu crois que tu peux faire ça? (Frankie soupira.) S'il te plaît?

— D'accord.

— Merci.

Le sourire de Mme J s'élargit. Ses dents paraissaient extra-blanches contre le rouge mat de ses lèvres.

Sans ajouter un mot, Frankie ramassa ses livres et quitta la classe.

Tandis qu'elle se mêlait au flot des élèves dans le couloir, tous ravis à l'idée de se déguiser en RAD, elle ne put s'empêcher de penser que leur génération était peut-être plus ouverte que celle de leurs parents. D'accord, les filles du lycée de Mount Hood avaient paniqué en la voyant, mais c'était compréhensible. C'était la première fois qu'elles voyaient quelqu'un à la peau menthe à l'eau. C'était une réaction normale.

Mais si elles voyaient sa page Facebook? Si elles lisaient son profil et regardaient ses vidéos où elle dansait avec les Glitterati sur Lady Gaga? Si elles savaient qu'elle avait flashé sur Brett? Et si elles sympathisaient avec ses amies? Réagiraient-elles autrement? Frankie eut beau tourner et retourner ces questions dans sa tête en se rendant au cours suivant, elle en arrivait toujours à la même conclusion : c'était elle qui avait déclenché cette confusion et c'était à elle d'y remettre bon ordre.

Elle tiendrait la promesse qu'elle avait faite à Mme J et jouerait le jeu. Selon ses propres règles.

CHAPITRE 15

LE GRAND FRISSON

C'était le genre de soirée d'automne où l'on avait envie de rester au chaud avec une soupe de tomate-macaronis.

De la couleur de la neige boueuse, la lumière déclinait doucement. Comme un halogène commandé par un variateur électrique, elle avait l'air de s'excuser de quitter la ravine derrière la maison de Jackson. Sous le ciel entre chien et loup, on aurait pu confondre un arbre aux branches dénudées avec la silhouette décharnée d'un vieillard.

Il avait cessé de pleuvoir après les cours, mais la « pluie des arbres » tombait toujours, comme on disait ici lorsque les frondaisons continuaient à s'égoutter après l'averse. Il n'existait malheureusement pas de terme local pour qualifier le froid qui les transperçait jusqu'aux os. Selon Brett, c'étaient les conditions idéales pour le tournage de ses *Chroniques d'un chasseur de monstres*. Selon Bekka, il avait surtout sept minutes de retard.

—J'espère qu'il ne lui est rien arrivé, déclara-t-elle en se laissant tomber sur une souche.

Elle était enroulée avec Haylee dans une des couvertures de survie que Mélodie avait empruntées à Beau. Enduites à l'extérieur d'une couche isotherme métallisée et doublée de laine polaire, ces couvertures étaient censées protéger les alpinistes du froid jusqu'en haut des sommets les plus enneigés. Avec Jackson pelotonné à son côté, Mélodie trouvait la sienne superflue.

Sa première réaction avait été d'essayer de se soustraire à ce qu'elle appelait secrètement « le projet Brett Witch » pour aller travailler comme prévu avec Jackson. En outre, même si le principal intéressé l'ignorait encore, ils avaient eux aussi un film à réaliser. Il s'appelait *Chéri, on a été interrompus*. Et la deuxième prise de la scène du baiser du samedi soir devait être tournée en priorité.

Mais Jackson se trouvait près du casier de Mélodie lorsque Bekka l'avait sollicitée au lycée, et il avait proposé d'utiliser son jardin. Laissée à l'abandon depuis des années, la végétation de la ravine avait eu toute liberté de se développer, attirant les coyotes – à moins que ce soient des loups ? – qui venaient y hurler à la nuit tombée. Bekka avait trouvé l'endroit parfait et avait aussitôt envoyé un texto à Brett.

— Tu ne penses quand même pas qu'il traîne avec cette nouvelle, si ?

Bekka resserra la couverture si étroitement autour d'elle et de Haylee qu'elles ressemblaient à un sushi métallisé.

— Qui ça ? demanda Mélodie, soudain assaillie par la fragrance tropicale de son parfum Kai aux essences naturelles.

Confinés sous leur couverture de survie, ses effluves floraux se mêlaient à la senteur huileuse des pastels sur les mains de Jackson. La combinaison des deux avait l'odeur du premier amour.

— Frankie Stein, répondit Haylee.

— Tu sais bien, celle qui se maquille à la truelle, ajouta Bekka.

— Pourquoi est-ce que Brett traînerait avec cette fille? demanda Jackson, s'efforçant de façon charmante de participer à leurs commérages.

— Je sais pas. (Bekka retira une pince à cheveux qui avait glissé d'un côté de son carré ondulé pour la remettre en place.) T'aurais vu comme elle l'a chauffé pendant le cours de sciences aujourd'hui! Ça m'étonne que ta mère ne t'ait rien dit.

— Tu parles! railla Jackson. Ma mère ne me dit pas grand-chose ces derniers temps, à part qu'il y a un truc qui la «stresse» et qu'elle est trop «stressée» pour en parler.

Chaque fois, Jackson sortait les bras de sous la couverture pour dessiner des guillemets en l'air avec ses doigts.

— Arrête de faire ça! gloussa Mélodie en ramenant la couverture sur lui. Tu fais entrer l'air froid.

— Pardon.

Il revint se blottir sous la couverture et lui sourit, plus longuement que l'exigeait une pure amitié. Des mèches de cheveux rebelles s'échappaient de la queue-de-cheval à moitié défaite de Mélodie; elle ne s'était pas changée après le cours de gym de dernière heure et marinait dans son survêt, mais se sentait belle d'une façon qui ne devait rien à la symétrie.

— Je me demande si ça n'aurait pas à voir avec leur exercice d'alerte aux monstres, dit-elle avec un rire sceptique. Enfin, c'était quoi ce truc de ouf?

—Ouais, c'était un peu bizarre, mais bon. (Bekka haussa les épaules.) Si c'est pour nous protéger, je vote pour.

—Nous protéger de quoi, exactement? (Mélodie se demandait ce que cette danse des chaises primitive pouvait bien éloigner de plus menaçant qu'un pet.) Mettons que ces monstres existent pour de bon, ils n'ont jamais attaqué personne, que je sache. Qui sait? Ils sont peut-être très sympas.

—Pourquoi tu prends leur parti?

Bekka relâcha un peu sa couverture pour se rapprocher d'elle.

Mélodie aurait aimé lui répondre: «Parce que je sais ce que c'est que d'être jugée sur l'apparence, Bekka. Alors oui, je suis du côté des monstres.» Au lieu de ça, elle se contenta de hausser les épaules et de murmurer:

—Chais pas, pour dire quelque chose...

Pour toute réponse, un sourire rayonnant s'afficha sur le visage de Bekka. Elle bondit sur ses pieds si brusquement qu'elle faillit envoyer Haylee rouler sur le tapis de feuilles humides.

—Désolée, dit-elle sans y penser en tirant la couverture. Ah! te voilà enfin! lança-t-elle à Brett qui s'avançait vers elle à grandes enjambées, une lampe torche à la main.

—Bien sûr que me voilà! répondit-il, les énormes semelles de ses chaussures de randonnée broyant les feuilles mortes avec la force d'un monster-truck.

Vêtu d'un pull à rayures rouges et brunes, coiffé d'un feutre noir, il rendait un hommage à Freddy Krueger – ou alors il était Freddy Krueger. Thomas, son pote de toujours, le suivait à quelque distance, ralenti par les deux caméras et le matériel de prise de son qu'il transportait.

—Salut, Thomas.

Haylee lui fit un petit salut de la main du même geste que la plupart des gens utilisent pour laver les carreaux.

—Hé! Hay!

Ricanant de son propre jeu de mots, le rouquin maigrichon laissa tomber son fardeau aux pieds de Haylee.

Habillée de leggings dorés sous une robe à bretelles de tulle et de satin, Haylee s'était manifestement mise sur son trente et un pour l'occasion. Elle confirma cette impression en choisissant de grelotter plutôt que d'enfiler sa doudoune saumon.

Quant à Thomas, il n'avait fait aucun effort vestimentaire et portait un jean baggy lacéré avec un gilet noir oversize à capuche.

—C'est super cool ici, mec. (Brett et Jackson se saluèrent poing contre poing.) Je crois bien que si j'habitais là je viendrais camper toutes les nuits.

—Ça ne te ferait pas peur ?

Bekka se précipita sur lui pour l'enrouler dans la couverture de survie.

—C'est ça, le truc, bébé. Je suis accro à l'odeur des phéromones que dégage mon trouillomètre, répondit Brett avant de l'embrasser à pleine bouche comme s'ils étaient seuls au monde.

Haylee et Thomas firent soudain mine de s'intéresser aux caméras tandis que Mélodie détournait les yeux avec embarras.

Les regarder échanger un baiser alors qu'elle se trouvait sous une couverture avec le garçon qu'elle rêvait d'embrasser la rendait vulnérable. Transparente. Lisible. Comme si ses pensées s'affichaient sur son front.

Au bout d'un moment, Brett s'arracha à l'étreinte de Bekka dont les lèvres n'étaient pas du même avis. Ce décalage provoqua un bruit de succion peu ragoûtant comme quand on mord dans une pêche juteuse. Les autres eurent un mouvement de recul.

—OK, les gens, déclara Brett en inspectant le périmètre. Il fera bientôt nuit. Thomas et Jackson, venez avec moi. On va aller ramasser des branches pour bricoler un trépied. Je veux que la grosse caméra ne bouge pas pour la séquence de désarticulation.

Thomas ramassa leur matériel.

—D'ac… d'accord, bredouilla Jackson en s'extirpant de la couverture pour suivre les autres garçons dans le sous-bois.

Haylee se précipita sur sa doudoune qu'elle ferma jusqu'au cou avant de rejoindre ses amies sur la souche.

—Jackson est bien plus cool que je croyais, chuchota Bekka.

—Oui, il est sympa, répondit Mélodie d'un air détaché, s'efforçant de modérer son enthousiasme.

—Alors, tu gobes son histoire d'amnésie? poursuivit Bekka. Tu ne crois pas qu'il savait ce qu'il faisait en restant scotché à Cléo?

Haylee sortit son portable de sa poche et se mit à textoter.

—Tout le monde n'est pas aussi jaloux que toi, rétorqua Mélodie sur un ton brusque, non parce qu'elle pensait que

Bekka avait tort, mais justement parce qu'elle craignait qu'elle ait raison. Je crois ce qu'il m'a dit.

— Bon.

Bekka se leva, agitant les franges de sa veste en daim vintage, pour scruter la forêt entre les arbres, une main en cornet sur l'oreille.

— Qu'est-ce que tu écoutes? demanda Mélodie dont le cœur s'emballa. Qu'est-ce qu'il y a? Tu as entendu quelque chose?

— Non, soupira Bekka avant de revenir vivement près de la souche. Écoutez, les filles, voilà le topo, chuchota-t-elle en se penchant vers ses deux amies. Brett n'est pas allé ramasser des branches pour son trépied. Il va essayer de vous faire peur. (Les pouces de Haylee volaient sur le clavier coulissant de son portable.) Arrête ça! lui intima Bekka. C'est pas une blague!

Haylee leva la tête et remonta ses lunettes sur son nez.

— Pourquoi veut-il nous faire peur? demanda Mélodie.

— Il veut filmer des réactions authentiques pour son film. Alors, ne craignez rien, mais jouez les filles terrorisées.

L'air nocturne fraîchissait, transformant leur souffle en buée comme des bulles dans une bande dessinée.

— Pourquoi tu vends la mèche? demanda Mélodie, qui n'y comprenait plus rien.

Bekka regarda Haylee et lui laissa le privilège de répondre.

— Les amies d'abord.

— Même avant Brett? demanda Mélodie à Bekka.

— En toutes circonstances, répondit Bekka.

Son visage animé parsemé de taches de rousseur était tout ce qu'il y avait de plus sérieux.

— Waouh! s'exclama Mélodie, surprise.

Elles étaient donc vraiment amies. Entendre Bekka le dire lui permit d'éprouver leur amitié. C'était comme de se plonger dans un bain chaud.

Soudain, une branche craqua au loin.

Bekka leur adressa un clin d'œil complice et elles pouffèrent dans leurs mains.

Des pas crissèrent sur le tapis de feuilles mortes.

Puis, plus rien.

— Merci! articula silencieusement Mélodie à son amie.

Si Bekka ne l'avait pas prévenue, elle aurait peut-être bien mouillé son survêt sur ce coup-là.

— Pas de quoi, lui répondit Bekka avec un nouveau clin d'œil, avant de passer en mode actrice. Vous avez entendu? demanda-t-elle d'une voix un peu trop forte.

— Ouais, gémit Haylee.

— C'est sûrement le vent, les filles. Détendez-vous, tenta Mélodie.

Une autre branche craqua.

— Oh, mon Dieu! J'ai entendu cette fois! s'écria Mélodie, s'efforçant de ne pas rire.

Elles entendirent ensuite quelque chose qui ressemblait à la respiration de Dark Vador sur un tapis de jogging.

— Les filles, j'ai vraiment les pétoches! gémit Haylee.

— Brett! appela Bekka.

— Jackson! hurla Mélodie.

Le silence leur répondit. Et puis…

— Aaaaaaaaaaargh!

Brett jaillit des buissons, affublé d'un masque de hockey et d'un tee-shirt maculé de sang, brandissant une machette en plastique. Derrière lui, Thomas filmait la scène sur une caméra numérique.

— Hiiiiiiiiiiiiiiiiiiiii! hurlèrent les filles à leur tour, se jetant dans les bras les unes des autres.

Brett se mit à danser autour d'elles en les menaçant de sa machette.

— Am stram gram, pic et pic et colégram… Qu'est-ce que je coupe en premier, une main ou bien un pied?

— Au secours! brailla Haylee.

Soit elle était très douée pour la comédie, soit l'avertissement de Bekka n'avait pas atteint son cerveau.

— À l'aide! renchérit Mélodie, cédant aussi à la panique à cause de Haylee.

— Brett! appela Bekka encore une fois.

— Et maintenant… coupez! hurla Brett en retirant son masque. C'est dans la boîte.

— C'était toi? glapit Mélodie, mortifiée de jouer aussi mal.

— J'avais peur que la caméra me trahisse, mais faut croire que vous étiez trop flippées pour faire gaffe, bandes de poules mouillées!

Il tapa un check avec Thomas puis enlaça Bekka pour célébrer leur réussite.

— Pauvre type! fit Haylee en bousculant Thomas d'un air goguenard.

— Mauviette.

Il lui rendit sa bourrade, puis lui emprisonna la tête avec une clé et lui frictionna le cuir chevelu de ses jointures.

Elle riait en lui donnant des coups de pied, le suppliant d'arrêter tout en espérant bien évidemment qu'il n'en ferait rien.

— Hé! mais où est passé Jackson? demanda Mélodie.

— Il a dit qu'il ne se sentait pas très bien, répondit Brett avec indifférence.

— Où est-il allé?

— Il a dû rentrer chez lui, répondit Brett, prêt à reprendre une bouchée de sa pêche juteuse.

— Je reviens, annonça Mélodie à la cantonade. (N'emportant qu'une couverture de survie et l'espoir d'un baiser d'amoureux, elle partit en courant à la recherche de Jackson.) Jackson? appela-t-elle dans les fourrés touffus. Jaaaack-soooon!

Et s'il avait encore eu une absence? S'il avait perdu connaissance et qu'il était tombé? Et s'il avait perdu connaissance et qu'il était tombé sur la bouche de Cléo? Mélodie écartait de son chemin les branches pointues et les feuilles coupantes, s'efforçant d'oublier qu'elle était seule dans une ravine où il y avait peut-être un…

— Mélodie? l'entendit-elle murmurer.

Où n'était-ce que le vent?

— Jackson?

— Je suis là, répondit-il doucement avant de se laisser tomber de l'arbre où il était perché.

— Est-ce que ça va? s'enquit-elle.

Elle portait sa couverture autour du cou comme une cape de super héros. Elle tenta de discerner ses yeux au travers de ses lunettes, mais il faisait trop sombre.

— Tu n'as pas eu d'absence ou d'amnésie, ou quoi, n'est-ce pas ?

— Nan. (Il secoua la tête comme un petit garçon.) Mais c'est agréable de voir que tu t'inquiètes pour moi.

Il s'adossa contre l'arbre et croisa les bras sur son cardigan de laine zippé jusqu'au cou.

— Évidemment que je m'inquiète pour toi. (Elle fit un pas vers lui.) Pourquoi es-tu parti ?

Jackson haussa les épaules, comme si la réponse allait de soi.

— Je ne voulais pas te faire peur.

Mélodie s'enfonça plus profondément dans son bain chaud. Et même s'il ne disait rien, elle voyait bien que Jackson partageait son émotion. C'était la première fois qu'elle se sentait aussi bien en compagnie de quelqu'un qui n'était pas de sa famille. Elle aurait voulu isoler cet instant, et les sentiments qui allaient avec, pour le garder précieusement, à l'écart du reste du monde. Et qu'il dure toujours.

Mélodie se rapprocha encore, leva la couverture au-dessus de leurs têtes et la laissa retomber sur eux, les isolant du monde pour de bon. Là, dans l'obscurité et la chaleur, le crissement des feuilles mortes et les hurlements des coyotes dans le lointain, la fragrance tropicale de son parfum et l'odeur de pastel sur les mains de Jackson, ils s'embrassèrent… Encore… et encore… et encore…

CHAPITRE 16

LE BAISER QUI TUE

… Et ils s'embrassèrent encore… et encore… et encore…

La transpiration vernissait leurs joues comme le glaçage sucré d'un donut et donnait à leurs lèvres le goût salé des bretzels. Sans le manque d'oxygène et la constriction de ses bronches, Mélodie aurait pu rester dans ce cocon douillet avec Jackson jusqu'à la fin de ses années lycée. Mais elle avait de plus en plus de mal à respirer et n'avait pas son inhalateur avec elle.

— De l'air! hoqueta-t-elle en rejetant la couverture de survie, attrapant un fou rire à la vue de leurs cheveux ébouriffés.

» Où sont… passées… tes… lunettes? lui demanda-t-elle, pantelante.

Son visage dégoulinait de sueur et ses yeux noisette la dévisageaient goulûment. Il se pencha sur elle pour reprendre leur baiser.

— Attends, l'arrêta-t-elle en riant, une main sur son cœur qui battait à tout rompre. Laisse-moi reprendre haleine.

—Tiens. (Il se pencha plus près encore.) Prends la mienne.

Sa voix était plus grave, plus assurée.

—Quoi? pouffa Mélodie. D'où tu sors ça? On dirait du Chuck Bass.

—C'est qui, ce Chuck?

Il recula, vexé.

—Celui de *Gossip Girl*.

—Ah! (Il écarta la référence d'un revers de la main, avant d'examiner Mélodie.) Et *toi*, qui es-tu?

—Quoi?

Elle éclata de rire, mais quelque chose dans son expression lui fit comprendre qu'il ne plaisantait pas.

—Sérieux, on est dans le même cours?

—Jackson! s'écria-t-elle, malgré le poids sur sa poitrine. Qu'est-ce qui te prend?

—Qui est ce Jackson? (Il prit un air revêche, puis il marqua un temps d'arrêt et ses lèvres s'étirèrent en un sourire malicieux.) Ah! j'y suis, c'est un jeu de rôle.

—Jackson, arrête. (Mélodie recula d'un pas.) Tu me fais flipper.

—D'accord, excuse-moi, dit-il en l'attirant doucement vers lui.

Prête à lui faire confiance, Mélanie reprit son souffle et inspira profondément. Son odeur avait changé, comme s'il avait pris des vitamines. Ou était-ce l'odeur sordide de la réalité lorsque l'amour l'avait quittée?

—OK, je suis Jackson. Et toi, tu es qui?

—Ah! (Elle le repoussa.) Ça suffit maintenant!

— Attends une minute. (Il fit un pas en arrière.) Je ne suis plus. Tu veux ou tu veux pas ? Parce que moi, je suis partant pour tout ce que tu voudras, mais il faut me dire à quoi on joue.

Mélodie sentit son estomac se nouer. Était-ce encore un coup fourré de Brett ? Jackson était-il de mèche avec lui ? Bekka l'avait-elle piégée dans l'intention de l'attirer dans leur petit cercle de tordus pour filmer un authentique chagrin d'amour ? Elle fouilla rapidement les fourrés alentour à la recherche d'une caméra.

— Je suis sûr qu'un peu de musique nous remettrait les idées en place, dit Jackson. On devrait retourner chez toi.

Il lui tendit la main, qui ne portait plus aucune marque de pastels.

— Non merci, renifla Mélodie.

Elle ramassa sa couverture sur le sol détrempé pour s'en envelopper comme d'une étreinte compatissante.

— C'est comme ça que tu le prends ? (Il retira sa main pour la passer dans ses cheveux mouillés de sueur.) Très bien. De toute façon, c'est une autre fille qui m'intéresse. Et c'est une vraie brune explosive, elle !

Mélodie ouvrit la bouche, mais aucun son n'en sortit. Elle en restait littéralement sans voix.

— Salut, réussit-elle à articuler avant de s'enfuir en courant se réfugier chez elle, tremblant de tout son corps sous la menace du tourbillon de larmes qui se pressait derrière ses yeux.

Elle lutta pour les retenir, refusant de donner à Jackson quoi que ce soit d'autre.

Les premières larmes débordèrent et roulèrent sur ses joues tandis qu'elle traversait Radcliffe Way de toute la vitesse dont étaient capables ses jambes – le calme avant la tempête. Malgré tout, Mélodie réussit à composer un message pour Bekka sur le clavier de son téléphone avant que sa vision se brouille complètement.

Mélodie : Si Brett veut des monstres, il n'a qu'à sortir avec des mecs. ☹

Elle appuya sur la touche « ENVOI ».
Et les digues se rompirent.

CHAPITRE 17

BOYCOTT VS BOYFRIEND

— Frankie chérie, fais passer les asperges à nos invités, je te prie, demanda Viveka avec une pointe des intonations empruntées du faux accent *bristish* de Madonna.

Frankie n'en fut guère étonnée. C'était toute la petite soirée de ses parents qui manquait de naturel. Jusqu'aux sourires détendus qu'ils affichaient.

À la vérité, si Viveka avait eu un cheval ce matin, elle aurait traversé la cuisine au galop en hurlant : « Les normies débarquent ! Les normies débarquent ! » À défaut, elle avait vérifié trois fois leur maquillage à tous, ajouté des écharpes à leurs cols roulés et fermé la porte du Glamoratoire.

— C'est une soirée très importante pour notre famille, avait-elle déclaré un peu plus tôt alors que Frankie l'aidait à dresser cinq couverts sur la table où ils dînaient habituellement tous les trois. Le nouveau doyen de l'université pourrait allouer une grosse somme d'argent à ton père pour ses travaux, et nous devons lui faire bonne impression.

Après Mme J, voilà que sa mère s'y mettait aussi ; Frankie commençait à en avoir assez qu'on lui dise comment se comporter avec les normies.

— Est-ce que je mets aussi des assiettes pour les Glitterati ? ironisa-t-elle, incapable de contenir sa frustration.

Viveka posa la dernière assiette avec un « bang » audible.

— Pardon ?

— C'est leur vie qui va changer si papa obtient ces fonds, après tout. (Frankie plia une serviette de table gris acier qu'elle disposa dans un verre.) C'est bien sur elles qu'il fait ses expériences, non ?

— Pour tout dire, c'est la vie d'anciens combattants blessés et de patients hospitalisés en attente de greffes d'organes qui changera grâce à l'argent du doyen Mathis.

— Tu veux dire des normies, c'est ça ? insista Frankie.

— Tout le monde, répondit Viveka. (Elle baissa ses yeux violets.) Un jour. (Le minuteur sonna dans la cuisine et elle se précipita pour retirer son rôti du four.) Enfin ! soupira-t-elle en repoussant ses cheveux noirs sur le côté pour inspecter le bœuf qui grésillait. Parfait. La troisième fois est toujours la bonne.

» Tu sais… (Viveka revint à la salle à manger chargée de deux verres en cristal supplémentaires et d'une nouvelle énergie.) Si tout se passe comme prévu, un jour ton père n'aura plus besoin de fils et de sutures pour opérer ses patients. Ses segments corporels artificiels s'attacheront aux tissus existants en générant de nouvelles cellules.

— Parce que les fils et les sutures, c'est trop moche, hein ? s'écria Frankie, dont les yeux s'embuèrent de larmes.

—Non, Frankie. Ce n'est pas ce que je veux dire, répondit Viveka en se précipitant vers sa fille.

—C'est pourtant ce que tu as dit !

Frankie avait alors couru se réfugier dans le Glamoratoire, et claqué la porte derrière elle. Le déplacement d'air soudain avait décroché du squelette le poster de Justin Bieber – encore un normie qui ne supportait pas sa vue.

—Frankie, les asperges, s'il te plaît, répéta Viveka depuis le bout de la table d'une voix un peu plus forte, ramenant Frankie au présent.

—Oh ! pardon.

Elle se pencha pour attraper le plat de porcelaine blanche et le faire passer à Mme Mathis de l'autre côté de la table. Mais la femme replète, qui avait les cheveux de Bill Clinton et la coupe d'Hillary, était trop absorbée à écouter Viktor lui expliquer sa théorie sur l'énergie électromagnétique qui donnerait peut-être un jour la vie à des objets inanimés pour y prêter attention.

Mme Mathis rit sottement.

—Tu entends ça, Charles ? demanda-t-elle à son mari en frappant sa poitrine constellée de taches de soleil. On dirait que tu pourras peut-être bien te marier avec ta chère télévision à écran plat, après tout.

—C'est pour ça que nous adorons tous ce savant fou. (Le doyen Mathis passa un bras derrière sa femme pour étreindre l'épaule de Viktor.) Un jour prochain, une de ses inventions changera notre façon de vivre à tout jamais.

Si seulement son père puisait dans ses forces électromagnétiques pour avouer au doyen Mathis que l'invention en question était en train de passer les asperges à son épouse.

—C'est déjà fait, déclara Frankie en reposant le plat sur la table.

—Ah bon? (Le doyen se renversa contre le dossier de sa chaise en aluminium brossé en caressant sa barbe poivre et sel.) Et de quoi s'agit-il?

—De moi.

Frankie leur adressa un sourire rayonnant, telle une Shirley Temple des temps modernes.

Le doyen et sa femme éclatèrent de rire. Viktor et Viveka restèrent de marbre.

—Quelqu'un veut des asperges?

—Pas pour moi, merci, Viv, déclina Mme Mathis d'un geste de la main.

—Cora déteste les légumes, expliqua le doyen.

—Allons, Charles. (Elle se tourna vers son mari pour le regarder dans les yeux.) Tu sais bien que ce n'est pas vrai. Seulement les légumes verts. C'est cette couleur… Elle n'est pas très appétissante. Vous ne trouvez pas?

Frankie lâcha une bordée d'étincelles.

Viktor toussa.

—Quelqu'un veut du rab? demanda Viveka.

—Qu'est-ce que c'est? questionna Mme Mathis.

Frankie avait du mal à croire qu'une personne aussi replète que Mme Mathis ignorait ce qu'était du « rab ». Puis elle se rendit compte que la femme pointait son index bagué de rubis vers la porte d'entrée, où un gant de laine chenille rouge était en train de glisser un tract par la fente de la boîte aux lettres.

— Qu'est-ce que… ?

Viktor se leva et ouvrit brusquement la porte, arrachant un hurlement strident aux deux filles qui se trouvaient derrière.

Lagoona et Lala.

— Salut !

Frankie bondit sur ses pieds, impatiente de quitter la table. La couleur chair commençait vraiment à lui couper l'appétit.

— Qu'est-ce qui se passe, les filles ? questionna Viktor en se penchant pour ramasser le tract.

Elles échangèrent un regard nerveux.

— Euh… On voulait juste laisser ça pour Frankie, répondit Lagoona, ses boucles blondes nouées en couettes souples.

Frankie prit le papier des mains de son père.

— Une pétition ?

— On va boycotter le bal de rentrée s'ils ne changent pas le thème de la parade des monstres, expliqua Lala, qui frissonnait de froid dans son pull en cachemire à col châle rose malabar. Ne vous inquiétez pas, chuchota-t-elle en aparté à Viktor. Nous ne disons pas dans le tract que nous trouvons ce thème offensant, juste trop effrayant.

Elle se moquait manifestement d'enfreindre la règle interdisant aux RAD de mentionner des affaires de RAD, même dans les conversations entre RAD.

— Pas de boycott pour moi, décréta Frankie en songeant à Brett et au dîner croisière qu'ils allaient peut-être gagner.

215

J'ai envie d'y aller. Je compte bien aller au bal pour me dégoter un boyfriend, dit-elle en se mettant à danser.

— Et le thème ? protesta Lagoona, sans prêter attention aux gesticulations de Frankie. Ça ne te rend pas dingo ?

Une rafale de vent fit virevolter dans l'impasse les feuilles mortes et les mauvaises herbes arrachées par l'automne.

— Vous voulez entrer ? leur proposa Frankie.

— Hum, ce n'est pas une bonne idée. (Viktor saisit la poignée de la porte.) Nous avons des invités.

— On peut aller dans ma chambre, suggéra Frankie.

— Une autre fois. (Viktor lui fit les gros yeux.) Bonne soirée, les filles. (Sur ces mots, il leur ferma la porte au nez sans leur laisser le temps de prendre congé.) Qu'est-ce que tu veux prouver ?

Frankie tira sur l'écharpe et le col roulé qui l'étouffaient.

— Viktor ? appela Viveka d'une voix forte depuis la salle à manger. Comment s'appelait cet étudiant complètement cinglé avec qui tu partageais ta chambre à l'université ? Celui qui s'est opéré de l'appendicite tout seul ?

— Tommy Lassman, lui cria Viktor, les yeux toujours plissés.

— Ah oui, voilà !

Viveka éclata de rire et poursuivit son histoire à l'intention de ses hôtes.

— Pourquoi passes-tu ton temps à nous tester, en ce moment ? murmura Viktor à sa fille.

— Je ne vous teste pas. (Frankie sentit son humeur s'adoucir pour la première fois depuis le début de la soirée.) C'est juste que je me sens frustrée.

— Nous comprenons parfaitement ce que tu ressens, mais tu ne choisis pas la bonne façon de l'exprimer.

— Qu'est-ce qu'il faut faire, alors ? (Frankie s'adossa contre le mur de béton glacé et croisa les bras sur sa poitrine.) Signer des pétitions débiles ? Faire semblant de travailler à mettre au point des inventions qui existent déjà ? Chercher à obtenir des fonds de recherche pour les normies alors que son propre peuple est...

— Ça suffit ! l'interrompit Viktor.

Frankie sursauta au bruit fracassant qu'il produisit en frappant dans ses mains.

— Il y a encore de l'orage ? demanda Mme Mathis. Cette pluie ne finira donc jamais.

En temps ordinaire, Frankie et son père se seraient amusés ensemble de la méprise de la femme, mais ils savaient l'un comme l'autre que la situation n'avait rien d'amusant.

— Tu peux aussi bien la signer, cette pétition, parce que tu n'iras pas au bal.

— Quoi ? explosa Frankie en tapant d'un pied botté jusqu'au genou sur le sol blanc immaculé. Qu'est-ce que le bal a à voir avec...

— Tu dois apprendre la prudence. En attendant, je ne peux pas te faire confiance.

— Je serai prudente, je te le promets, dit Frankie, qui le pensait vraiment. Tu peux me faire confiance.

— Je suis désolé, Frankie, c'est trop tard.

Il ne va pas faire ça ?

— À quoi ça sert de m'avoir donné la vie si tu ne me laisses pas la vivre ? s'écria-t-elle.

—Ça suffit, chuchota-t-il.

—Non, je suis sérieuse, insista Frankie, qui en avait assez d'être réduite au silence. Pourquoi n'as-tu pas fait de moi une normie ?

Viktor soupira.

—Parce que nous ne sommes pas des normies. Nous sommes des RAD. Et j'en suis très fier. Tu devrais l'être aussi.

—Fière ? (Frankie cracha le mot comme s'il avait trempé dans du dissolvant.) Comment veux-tu que je sois fière d'être une RAD quand tout le monde me dit de me cacher ?

—C'est pour ta sécurité. Mais ça ne doit pas t'empêcher d'être fière de ce que tu es, expliqua-t-il comme si ce n'était pas plus compliqué. La fierté doit venir de l'intérieur et faire partie de toi, quoi qu'en disent les autres. (*Hein ?* Frankie croisa les bras et détourna les yeux.) J'ai créé ton corps et ton cerveau. Ta force et ta confiance ne peuvent venir que de toi, ajouta Viktor, comme s'il sentait intuitivement sa confusion.

—Comment les trouver ? questionna Frankie.

—Tu les avais en toi le jour où nous t'avons emmenée au lycée de Mount Hood, lui rappela-t-il. Tu as laissé ces pom-pom girls te les enlever.

—Comment les retrouver, alors ? s'interrogea Frankie à haute voix.

—Cela prendra du temps, dit-il. (Il jeta un coup d'œil par-dessus l'épaule de Frankie en plissant les yeux pour voir ce que faisaient ses invités.) Quand tu les auras trouvées, tu devras t'y accrocher de toutes tes forces. Et ne laisser personne te les reprendre, quoi qu'il arrive. C'est bien compris ?

Frankie hocha la tête, même si elle n'y comprenait rien.

—Bien.

Viktor lui fit un clin d'œil.

Cette leçon la plongeait dans la perplexité, transformant sa colère en un sentiment nouveau pour elle. Une sorte de meringue émotionnelle : un sentiment cotonneux de solitude recouvert d'une croûte dure d'injustice. Contrairement à une meringue, pourtant, son goût était amer.

Viktor regagna la salle à manger d'un pas désinvolte.

—Prêts pour le dessert ?

Frankie courut se réfugier dans sa chambre sans se préoccuper d'être vue ni de ce qu'on pensait d'elle. Plus rien n'avait d'importance. À peine la porte refermée, elle éclata en sanglots. Elle se laissa glisser contre le mur sur le sol glacé et enfouit son visage dans ses mains. Elle rejoignit en pensée la seule personne de sa connaissance qui voyait la beauté des monstres.

Le bal de rentrée était sa meilleure chance de se rapprocher de Brett… et de lui faire découvrir la véritable Frankie.

Elle lui donnerait un disque de démaquillant et ferait les présentations…

Ils iraient s'isoler sous la cage d'escalier ; elle lui dirait : « Vas-y. » Le rythme sourd de la musique se déverserait depuis le gymnase dans le hall désert, les incitant à regagner la piste. Mais ils résisteraient à son appel, lui préférant le rythme a capella *de leurs cœurs battant à l'unisson. « Frotte-le sur ma joue », lui murmurerait-elle.*

Ses doigts aux ongles vernis de noir éprouveraient la surface abrasive, la trouvant trop rugueuse pour sa peau douce. Mais elle insisterait, et il obéirait.

Le contact de ses doigts sur sa peau lui arracherait une larme.

Et lui aussi aurait la larme à l'œil en découvrant sa couleur menthe à l'eau.

« Pourquoi ne m'as-tu rien dit ? », demanderait-il.

Elle baisserait les yeux avec pudeur. « Tu es fou ? »

« Oui. »

Une autre larme.

Il lui essuierait les yeux, lui relèverait le menton du bout du doigt et il ajouterait : « C'est de toi que je suis fou. »

Et ils échangeraient un baiser passionné qui changerait la face du monde. Ils regagneraient ensuite le gymnase pour une dernière danse et repartiraient avec le prix du couple le mieux déguisé. Le dîner croisière renforcerait leur amour et ce serait bientôt son visage qu'il porterait sur ses tee-shirts. Sa beauté menthe à l'eau dans toute sa splendeur ferait un malheur – même Mme Mathis serait séduite. D'ici à Noël, une ligne de vêtements porterait son nom… Des fabricants de jouets sortiraient une poupée Frankie… Les M & M's seraient tous verts…

Frankie coupa court à ses rêves éveillés de lendemains meilleurs. Ça ne lui suffisait pas. Son père avait raison de ne pas lui faire confiance. Elle n'était plus la parfaite petite fille à son papa. Cette fille-là aurait obéi à son père sans discuter. Elle aurait oublié le bal et serait rentrée dans le rang au nom de la prudence.

Mais Frankie n'en voyait pas l'intérêt.

CHAPITRE 18

COUP DE CHAUD

En bonne demoiselle d'honneur dévouée, Haylee suivit Bekka dans l'aile « jusqu'à ce que la mort vous sépare » du Costume Castle, véritable caverne d'Ali Baba du déguisement agencée à la façon d'un château fort. Mélodie traînait des pieds derrière Haylee comme une demoiselle d'honneur envieuse.

— Que dis-tu de celle-là ? demanda Haylee en décrochant du portant une robe de mariée satinée.

— Trop brillante, répondit Bekka.

Haylee lui en montra une autre.

— Trop de dentelles.

— Celle-là ?

— Trop bouffante.

— Et celle-là ?

— Trop blanche.

— Tu devrais peut-être te déguiser en Boucles Gore, grommela Mélodie.

—Et toi en Grinch quand tu auras fini de faire la goule, lui renvoya Bekka.

Mélodie ne put s'empêcher de s'esclaffer à la réplique de son amie.

Bekka gloussa aussi, avant de revenir à son affaire.

—Je veux quelque chose qui soit à la fois effrayant, sexy et cool.

—Celle-là ? tenta Haylee.

—Trop mémé.

—Celle-là ?

—Trop déguisement.

—Bekka, nous sommes dans un magasin de déguisements, lui fit remarquer Mélodie.

—Un point pour toi. (Bekka saisit la chaîne qu'elle portait au cou entre ses doigts et fit coulisser le pendentif en or en forme de B qui y était suspendu.) Tu devrais en profiter pour songer à ton propre costume. La parade des monstres, c'est vendredi prochain. On est samedi, ce qui te laisse moins d'une semaine pour…

—Arrête ça. (Mélodie leva au ciel ses yeux las.) Je te l'ai déjà dit. Je n'irai pas.

—Pourquoi ? Parce que tu t'es bêtement disputée avec Jackson hier soir ?

Haylee lui montra la dernière robe de mariée.

—Trop fleur bleue.

—On ne s'est pas disputés bêtement, répondit Mélodie d'un ton brusque en regrettant d'en avoir parlé à Bekka.

Comment expliquer une chose qu'elle-même avait du mal à comprendre ? Le comportement de Jackson lui avait laissé une sensation, pas une histoire à raconter. Et «dégoûtée» était la seule façon de la décrire.

—Puisque c'est comme ça, vas-y avec un autre, dit Haylee en pinçant le tulle d'un voile en toile d'araignée pour le faire glisser entre ses doigts.

—Hé! je te jure, ce tissu a fait des étincelles, dit Bekka. Je me demande s'ils ont des costumes de meilleure qualité là-derrière. Hum. (Elle leva la tête vers les énormes araignées qui pendaient du plafond et se tapota le menton.) Hayl, tu pourrais demander au…

—C'est comme si c'était fait.

Haylee partit à la recherche d'un responsable de rayon, ses fesses minuscules s'activant avec l'efficacité d'un jouet mécanique remonté à bloc.

—Alors, t'as une idée de costume? demanda Bekka sur un ton qui se voulait obligeant et encourageant.

—Pourquoi pas la Fille invisible?

Mélodie laissa courir sa main sur les boîtes de maquillage d'Halloween. Les couleurs crémeuses, qui portaient des noms comme noir chauve-souris, rouge sang, vert de goule ou blanc fantôme, étaient à disposition dans leur écrin de plastique. Mélodie se pencha pour les sentir. Ils n'avaient pas du tout la même odeur que les pastels de Jackson. Les couleurs étaient plus douces, moins intenses, mais cela n'empêcha pas ses yeux de se remplir de larmes.

—«Toc-toc», dit Bekka en consultant le prix d'une jarretière noire.

—Qui est là? renifla Mélodie.

—Bouh.

—Bouh qui ?

—Vu que c'est tout ce que tu sais dire depuis ce matin, pourquoi tu ne te déguiserais pas en fantôme dépressif ?

Mélodie gloussa et renifla à la fois.

—C'est pas drôle.

—Alors, pourquoi tu rigo-oles ? chantonna Bekka.

—Je ne rigole pa-as, répondit Mélodie sur le même ton.

—Très bien. (Bekka s'éloigna des robes de mariées à 34 dollars et croisa les bras sur sa veste de treillis en jean.) Si tu n'y vas pas, je n'y vais pas non plus.

—C'est ça, fit Mélodie avec une tape moqueuse sur le bras de Bekka. Et tu raterais une occasion d'être la fiancée de Brett ?

—Les amies d'abord, affirma Bekka, ses yeux verts plantés dans ceux de Mélodie avec détermination.

—Je ne peux pas te laisser faire ça.

—Alors, c'est décidé, tu viens.

Le visage piqué de taches de rousseur de Bekka rayonnait de satisfaction victorieuse.

Haylee revenait déjà, d'un pas rapide et affairé.

—J'ai parlé à Gavin, le sous-responsable du rayon. Il dit qu'ils ne recevront pas d'autres robes de la fiancée de Frankenstein avant la mi-octobre. Mais il m'a donné ça. (Elle contemplait la carte de visite qu'elle tenait à la main.) C'est le numéro de Dan Mooney, le responsable en chef. Il sera là lundi et on pourra vérifier avec lui.

Le dévouement de Haylee vis-à-vis de Bekka provoqua un chatouillement dans le ventre de Mélodie. Ces deux filles n'étaient pas des élèves de seconde comme les autres, mais elles étaient loyales et Mélodie en était venue à les adorer justement pour ces deux raisons.

— Bah, ça va aller, soupira Bekka en revenant vers la sélection de robes de mariées. Je compenserai avec une coiffure d'enfer.

— Dans ce cas, je te conseille la robe brillante, dit Haylee en la décrochant du portant. Elle est simple et élégante, et comme ma robe de Demoiselle d'horreur est aussi en tissu brillant, ce sera le fil conducteur.

— Brillante idée! (Bekka posa la robe sur son bras.) Il ne nous reste plus qu'à… (Ses yeux parcoururent les rayons.) Hé! Regardez qui est là…

— Salut.

Mélodie reconnut la voix masculine familière. Elle se retourna: c'était Deuce. Malgré la faible luminosité, il portait une paire de Ray-Ban rouge aux verres fumés et il était coiffé d'une casquette de base-ball Von Dutch. De le voir ainsi donna à ses lèvres des envies de gloss, ce qui était leur façon de lui dire qu'elles auraient préféré éviter cette rencontre. Mélodie les serra l'une contre l'autre, ce qui était sa façon de les assurer qu'elle partageait leur avis.

Il leur sourit d'un air gêné. Un casque Bose surpuissant était posé sur ses oreilles et il ne fit pas mine de le retirer.

— Qu'est-ce que tu fais ici? lui demanda Bekka du ton d'une mère inquisitrice.

Haylee se mit à textoter.

— Ben, je me cherche un costume. (Il lui montra le panier

métallique qu'il tenait à la main. Au cas où elle n'aurait pas vu les chapeaux qui étaient dedans, il ajouta :) Je vais me déguiser en Chapelier fou.

— Et Cléo ? s'enquit Bekka.

Mélodie se retint de la gifler.

Deuce se dandina d'un pied sur l'autre d'un air embarrassé.

— Elle ne vient pas cette année.

— Il y a de l'eau dans le gaz entre vous ?

— Bekka ! la rabroua Mélodie. C'est pas nos oignons.

— Non, tout va bien entre nous. (Deuce leur adressa un pauvre sourire.) C'est juste que ses copines ont décidé de boycotter le bal cette année, et elle va rester avec elles…

— Tu n'as pas de cavalière, alors ?

— Pas pour l'instant. Je ne suis pas complètement…

— Parfait ! (Bekka tapa dans ses mains.) Pourquoi vous n'iriez pas ensemble, toi et Mélodie ?

— Bekka ! ragea Mélodie en frappant le sol de ses Converse noires.

Le chatouillement dans son ventre se transformait rapidement en grincement de dents.

— Ben quoi ? demanda innocemment Bekka en faisant semblant de s'intéresser à un bouquet de mariée ensanglanté. Ce sera fun. Qu'est-ce que t'en penses, Deuce ?

— Oui, pourquoi pas. (Il hocha la tête, se laissant entraîner par son idée.) Mais juste en copains, parce que, tu sais bien, Cléo et moi…

— Ça va de soi ! négocia Bekka.

—Ça marche pour moi.

Deuce leur sourit gentiment.

—Sors ton iPhone, ordonna Bekka. Je vais te «bumper» le numéro de Mélodie.

—Je suis là, vous savez, bouillonna Mélodie.

—Un, deux, trois… «Bump»!

Bekka et Deuce entrechoquèrent leurs téléphones.

—C'est bon, fit Deuce en regardant son écran. (Il se tourna vers Mélodie.) Je t'envoie un texto dans la journée.

—Cool.

Mélodie grimaça un sourire, la bouche toujours pincée.

Les filles effectuèrent le court trajet de retour à vélo sans presque se parler. Le soleil résolument optimiste et le ciel bleu semblaient défier Mélodie, comme l'avait fait Bekka; ça commençait à devenir difficile de s'apitoyer sur son sort. À chaque carrefour, Bekka assurait Mélodie qu'elle avait fait ça pour lui rendre service, et Mélodie répondait à Bekka qu'elle appréciait sa sollicitude, mais ne lui avait rien demandé. Puis elles retombaient dans le silence.

—Je vous laisse là, annonça Mélodie en haut de Radcliffe Way.

—Tu n'as toujours pas de costume, lui rappela Bekka.

—Et c'est toujours pas mon problème.

Mélodie leur fit au revoir de la main, souriant à moitié malgré elle.

Elle dépassa à toute allure sa mère qui disposait des bouteilles de vin sur la table et grimpa deux à deux les marches de bois pour filer dans sa chambre.

— Nous recevons des voisins pour une leçon de dégustation de vins dans une heure, lança Glory depuis le bas de l'escalier. Au cas où tu me demanderais ce que je fais.

Mélodie claqua la porte de sa chambre, signifiant à sa mère que ça ne l'intéressait pas.

— J'ai ton ventilo, cria Candace depuis sa chambre. Je te le ramène dès que mon vernis est sec.

— M'en fous, grommela Mélodie.

Elle monta à l'échelle de sa mezzanine et se jeta à plat ventre sur sa couette Roxy dans les tons de lilas et lavande. Après avoir pleuré un bon coup, elle roula sur le dos et contempla les poutres de bois de son plafond.

Son iPhone émit un gazouillis. Elle venait de recevoir un message de Deuce.

Deuce : « J'ai oublié de te demander en quoi tu seras déguisée. »

Mélodie repoussa son téléphone sans lui répondre. Avait-elle réellement accepté d'aller au bal avec Deuce ? L'idée d'avoir pour cavalier le petit ami d'une autre qui l'avait invitée pour ne pas la vexer était encore pire que d'y aller toute seule.

Même avec les fenêtres ouvertes, la chaleur était insoutenable à l'intérieur de leur maison malgré tous les efforts de Beau pour tenter d'arranger ça depuis plusieurs semaines. Pourtant, Mélodie s'en fichait complètement. Elle ne sentait plus rien. Sans son front couvert de sueur, elle ne s'en serait même pas aperçue.

Elle recommençait à ressasser ses idées noires. La transpiration lui ramenait en mémoire les événements de la veille…

Elle se revoyait sous la couverture de survie avec Jackson… Le baiser qu'ils avaient échangé…

—Salut, l'entendit-elle dire. (Elle se redressa brusquement et se cogna la tête contre une poutre du plafond.) Ça va ?

Il posa une main sur un des barreaux noirs de son échelle. Mélodie hocha la tête, incapable de parler. Jackson était là. Avec ses lunettes. Et son sourire timide. Une chemisette verte à manches courtes. Les doigts tachés de pastel. Comme si rien ne s'était passé.

—Il fait une de ces chaleurs, ici, ajouta-t-il en s'éventant.

—Tu n'as qu'à t'en aller si ça ne te plaît pas.

Elle se laissa retomber sur le dos.

—Je ne veux pas m'en aller, protesta-t-il.

—Qu'est-ce que tu veux, alors ?

—Je suis venu te dire que c'était super hier soir.

—Ouais, jusqu'à ce que ça devienne relou.

Il soupira.

—J'ai encore perdu connaissance, c'est ça ?

—Tu as plutôt perdu ta décence, Jackson.

Mélodie s'assit sur son lit, les jambes pendant dans le vide. Elle prit appui en arrière sur ses mains, les yeux rivés sur son armoire. Le regarder lui était presque aussi impossible que de lui pardonner.

—Et puis arrête avec ces excuses débiles de tes absences, d'accord ? Ça devient insultant. Garde-les pour ta «brune explosive». Elle est peut-être assez stupide pour gober ça, mais ça ne marche plus avec moi !

—C'est pourtant la vérité, plaida-t-il. Je suis revenu à moi près de la maison au bout de l'impasse.

— Tu aurais mieux fait d'y rester.

— Et tu n'aurais pas eu de cavalier pour le bal de rentrée, dit-il pour se montrer gentil.

— Je ne t'ai pas attendu, répliqua-t-elle pour être méchante. J'y vais avec Deuce.

Il ne répondit rien. Elle avait atteint son but.

— Mélodie. (Jackson se dirigea vers le bout de son lit et prit entre ses mains ses pieds qui se balançaient.) La dernière chose dont je me souviens, c'est qu'on s'embrassait sous la couverture. Après ça, je…

— Crois-moi, Jackson. (Elle le regarda enfin. Son visage était couvert de sueur, empreint de honte et de confusion.) Tu n'as pas d'absences. J'aurais presque préféré ça.

— Pourquoi est-ce que je ne me souviens de rien, alors ?

Il s'épongea le front.

— Tu te souviens très bien. Je crois que tu te sers de cette excuse pour dire ce que tu veux et embrasser qui tu veux et… (Jackson ôta ses lunettes et déboutonna sa chemise, exposant ses abdos luisants sous les yeux de Mélodie comme un chanteur de *boys band* à une groupie.) Qu'est-ce que tu fais ?

Elle tendit la main vers son iPhone. Une intervention de la police n'était pas totalement à exclure et elle enclencha la caméra au cas où elle aurait besoin de preuves.

— Encore toi ? (Il haussa les sourcils.) J'aurais dû m'en douter tellement je transpire. (Il fit courir ses doigts sur ses pectoraux.) Avec toi, c'est toujours très *hot*.

— Jackson, arrête ça !

Mélodie descendit de son lit d'un bond.

— Pourquoi est-ce que tu t'obstines à m'appeler Jackson ?

— Parce que c'est ton nom, affirma Mélodie en brandissant son iPhone devant son visage.

— Pas du tout.

— Vraiment ? le défia Mélodie. Comment t'appelles-tu, alors ?

— Holt, déclara-t-il, les yeux dans l'objectif de la caméra. Je m'appelle Holt Hyde. Comme dans *Docteur Jekyll et Mr. Hyde*. Comme mon arrière-grand-père… qui était un type hyper bizarre, d'ailleurs. Un excentrique. J'ai trouvé des documents dans le grenier de notre maison, et il semble qu'il se soit livré à des expériences vraiment chelou avec des boissons fortifiantes dans sa jeunesse – des expériences sur lui-même ! Et quand il buvait ses potions, on ne le tenait plus. Les boissons fortes, très peu pour moi, mais j'adore danser. (Il lui fit un clin d'œil avant de fouiller du regard la chambre en désordre.) T'as de la musique, ici ?

Mélodie coupa la caméra. Avant qu'elle ait pu l'en empêcher, Holt Hyde s'était précipité vers la station d'accueil blanche posée sur son bureau pour y brancher son propre iPhone. Les premières mesures de *Carry Out*, de Timbaland, se déversèrent dans les enceintes. Avec un déhanchement torride, il étendit les bras de telle sorte que les pans de sa chemise lui faisaient des ailes, et se mit à danser comme sur la scène d'un stade devant un parterre de fans déchaînés.

— Qu'est-ce qui se passe ici ? (Candace apparut sur le seuil, le ventilateur de Mélodie à la main. Pieds nus, vêtue d'un jean *boyfriend* trop grand pour elle et d'un petit haut blanc moulant, elle avait pile le look sexy baggy qui allait avec la musique.) Vous filmez une audition pour un casting ou quoi ?

— Ouais, on tourne un clip qui s'appelle : « Qui est cette bombe ? »

Lui enlevant le ventilateur des bras, il l'attira vers lui.

— Candace, répondit-elle avec un petit rire, se laissant faire.

Les pulsations de Timbaland les atteignirent comme un distributeur de balles, que Holt renvoya toutes d'un claquement de doigts au-dessus de sa tête.

— Melly, qui aurait cru ça ? lança Candace par-dessus la musique.

Elle leva elle aussi les bras au-dessus de sa tête.

— Pas moi, grommela Mélodie en mettant le ventilateur en marche.

— C'est parti pour la soufflerie ! hurla Holt.

Candace et lui se mirent à tournoyer devant le ventilateur. Les pans de la chemise de Holt flottaient autour d'eux, et on aurait vraiment dit qu'ils étaient dans le clip de Timbaland.

— Woouuu-houuuuuuuu ! cria Candace, dont les mains tournaient à présent au-dessus de sa tête en cercles serrés.

Elle se pencha pour accélérer la vitesse du ventilateur.

Holt tendit les mains en avant comme Superman.

— Je vole ! s'écria-t-il, les pans de sa chemise formant une cape derrière lui.

— Qu'est-ce qui se passe, là-haut ? appela Glory.

— Rien, répondit Mélodie.

La vérité était trop longue à expliquer.

— Alors, arrête-moi ce rien, s'il te plaît. Mes invités vont arriver d'une minute à l'autre.

Trop heureuse de mettre fin à leur petit délire, Mélodie s'empressa de débrancher l'iPhone de la station d'accueil.

Quelques secondes s'écoulèrent avant que Candace et Holt cessent de danser. Quelques secondes supplémentaires pour qu'ils arrêtent de rire. Encore quelques secondes avant que la température de la pièce perde plusieurs degrés.

— Trop génial. (Candace tapa dans la main de son partenaire de danse.) Tu es plus fun que t'en as l'air.

— Pardon ?

Il remit ses lunettes, l'air légèrement confus.

— Je veux dire, avec tes lunettes et ta chemise. (Candace montrait ses pectoraux.) Enfin, quand elle est boutonnée. (Elle gloussa.) T'as le look d'un geek, alors que t'es un mec plutôt cool.

Il baissa les yeux sur son torse et reboutonna vivement sa chemise.

— Tu trouves ?

Un éclair de compréhension traversa la colonne vertébrale de Mélodie.

— Comment tu t'appelles ?

— Quoi ?

— Dis-moi comment tu t'appelles, répéta-t-elle.

— Jackson. (Il recula, s'adossant à l'échelle, et passa la main sur son front luisant de sueur.) Oh non ! Est-ce que je viens d'avoir une absence ?

— Ouais, répondit Mélodie. Seulement, ce n'était pas vraiment une absence. (Elle s'approcha de lui et appuya sur la touche « play » de son iPhone.) Jackson, je te présente Holt Hyde.

—Jackson, attends ! le retint Mélodie, mais il ne l'écoutait plus.

Après avoir vu comment il s'était comporté devant elle, il avait détalé plus vite qu'un paparazzi qu'on vient de brancher sur la dernière frasque de Britney Spears.

Candace ne disait rien, se contentant de fusiller Mélodie du regard en secouant la tête d'un air désapprobateur.

—Quoi ?

—Tu le sais parfaitement.

Candace souleva ses cheveux blonds pour rafraîchir sa nuque.

—Qu'est-ce je sais parfaitement ? aboya Mélodie, dont les pensées se brouillaient et tournoyaient comme le dessin du manège de Jackson.

—Qu'est-ce que tu comptes faire ?

—Qu'est-ce que je *peux* faire ? (Mélodie jeta un coup d'œil aux cartons toujours pas défaits qui encombraient sa chambre. Elle pourrait peut-être s'y attaquer.) Je ne crois pas que ça soit la peine d'appeler la police.

—Tu pourrais essayer de le rattraper, suggéra Candace, comme si elle prenait vraiment ça à cœur.

—Non merci. (Mélodie tira sur une de ses cuticules jusqu'au sang.) Sortir avec un… quelqu'un… de si imprévisible, c'est pas vraiment ce qu'il me faut en ce moment.

—Tu ne sais pas ce que tu perds.

Candace s'apprêtait à tourner les talons, son postérieur flottant dans l'excès de tissu de son jean trop grand.

—Attends! (Candace s'immobilisa.) Comment ça, je ne sais pas ce que je perds? demanda Mélodie.

—Un mec imprévisible, c'est fun! s'écria Candace, comme si elle savait de quoi elle parlait. Même si tu n'as ton Jackson que la moitié du temps, tu es déjà mieux lotie que la plupart des filles.

Les pensées de Mélodie revinrent vers Jackson et elle sourit.

—Il est sympa, c'est vrai.

—Cours-lui après, insista Candace, ses yeux aigue-marine brillants de sincérité. Garde ton objectif en vue et ne lâche pas l'affaire. (Elle claqua des doigts.) Docteur Candace, terminé.

Mélodie dévala les marches quatre à quatre et se faufila entre l'homme et la femme de haute stature qui se tenaient sur le seuil de la porte d'entrée.

—Ma chérie, je te présente nos voisins les Stein. Ils ont une fille de ton âge…

—Enchantée, leur lança Mélodie par-dessus son épaule. Je reviens tout de suite.

—Ne vous en faites pas, dit la femme aux longs cheveux noirs à Glory. J'ai la même à la maison.

Se dirigeant au pas de course vers la petite maison blanche, Mélodie avait l'impression d'être l'héroïne d'une comédie romantique, désespérée d'arriver à l'aéroport avant le décollage de l'avion qui emportait l'amoureux qu'elle venait d'éconduire. Mais toute similitude s'arrêtait là. Pour autant qu'elle sache, les héros de ce genre de films n'étaient pas des schizos.

La porte de chez lui était restée ouverte.

—Jackson? appela-t-elle doucement. Jackson?

Elle poussa la porte du bout de son index. Une bouffée d'air glacé happa sa main. Mélodie pénétra dans la maison. Il ne devait pas faire plus de quinze degrés là-dedans. Les thermostats étaient-ils tous devenus fous à Salem?

Mélodie éprouva d'abord quelque réticence à s'introduire chez Jackson sans y avoir été invitée, surtout que sa mère était sa prof de sciences, mais il avait déjà fait la même chose chez elle par deux fois, alors…

—Jackson? appela-t-elle à voix basse.

Des canapés de velours poussiéreux, des tapis d'Orient aux couleurs sombres et tout un bric-à-brac de meubles et d'objets qui auraient pu arriver tout droit du Londres du Vieux Monde dans une machine à voyager dans le temps emplissaient l'espace exigu. Un intérieur englué dans une nostalgie mélancolique, qui contrastait de façon inattendue avec la candeur fraîche et joyeuse de l'extérieur de la maison. Mélodie sourit intérieurement: c'était une contradiction qu'elle ne connaissait que trop bien.

—Si tu savais ce que j'étais, pourquoi ne me l'as-tu jamais dit? hurla Jackson depuis le premier étage.

—Parce que je voulais te protéger! répondit la voix de sa mère.

Mélodie savait qu'elle aurait dû partir, mais ne put s'y résoudre.

—Me protéger de quoi? sanglota Jackson. De me réveiller sans savoir où je suis? de me ridiculiser chez les voisins? de tout gâcher avec la seule fille qui ait jamais compté pour moi?

(Mélodie ne put retenir un sourire. Elle comptait vraiment pour lui.) Parce que, de ça, tu ne m'as pas protégé! poursuivit Jackson. C'est ce qui m'est arrivé! En seulement vingt-quatre heures! Qui sait ce que j'ai pu faire ces quinze dernières années.

—Justement, expliqua sa mère. Ça ne fait pas quinze ans que ça dure. C'est arrivé avec l'adolescence.

Ils restèrent silencieux pendant quelques secondes.

—Qu'est-ce qui déclenche cette transformation? demanda Jackson, un peu moins énervé.

—La chaleur, répondit doucement Mme J.

Mélodie repassa dans sa tête toutes ses rencontres avec Holt. *Mais bien sûr!* La couverture de survie… Sa chambre… Le ventilateur…

—La chaleur, répéta lentement Jackson, l'air de dire qu'il aurait dû s'en douter depuis le début. Voilà pourquoi il fait toujours aussi froid ici.

—Et aussi pourquoi je ne te laisse pas faire de sport, expliqua Mme J, qui semblait soulagée de partager son secret.

—Pourquoi la chaleur?

—Jackson, assieds-toi un instant. (Une pause.) Je ne te l'ai jamais dit, mais ton arrière-grand-père était le docteur Jekyll… C'était un homme charmant et réservé, exactement comme toi. Mais sa timidité l'empêchait parfois de faire ce qu'il aurait voulu. Il a alors fabriqué une potion pour se donner du courage et être plus… extraverti. Il en est devenu dépendant et finalement… il en est mort.

—Mais comment est-ce que je…, commença Jackson.

—La potion était toxique et a fini par corrompre son ADN, l'interrompit sa mère. C'est ainsi que cette mutation a été transmise à ses descendants. Ton grand-père et ton père en ont également hérité.

—Alors papa ne nous a pas abandonnés ?

—Non. (Sa voix se brisa.) J'étais chercheuse en génétique quand nous nous sommes rencontrés, et… j'ai fait tout mon possible pour l'aider. (Elle renifla.) Mais ses sautes d'humeur sont devenues de plus en plus difficiles à supporter et… et elles l'ont rendu fou !

Jackson ne répondit rien. Mme J se taisait. Mélodie n'entendait plus que des reniflements entrecoupés de sanglots à lui fendre le cœur en provenance du premier étage, et elle fondit en larmes. Elle pleura pour Jackson. Pour sa mère. Pour ses ancêtres. Et pour elle-même.

—C'est ce qui va m'arriver aussi ? demanda-t-il au bout d'un moment.

—Non. (Mme J se moucha.) C'est différent chez toi. Le gène a peut-être évolué. Tu ne sembles affecté qu'en cas de chaleur excessive. Dès que ton organisme refroidit, tu retrouves ton état normal.

Il y eut encore un long silence.

—Alors, tu es aussi… sa mère ?

—Oui, répondit-elle sur un ton neutre. Parce que toi et lui ne faites qu'un… avec des personnalités différentes.

—Différentes comment ?

—Holt est à l'aise en public alors que tu es plus timide. Il aime la musique et toi la peinture. Il est extraverti alors que tu es méditatif. Vous êtes tous les deux des garçons épatants, chacun à sa façon.

—Est-ce qu'il est au courant de mon existence?

—Non. (Elle marqua une pause.) Mais il sait qui étaient ses ancêtres.

—Comment…

—Holt a découvert par lui-même plusieurs choses sur son passé, mais il ne sait rien de toi, ajouta Mme J. Comme toi, il pense qu'il a des absences. Ça le rend imprévisible. Vous l'êtes tous les deux. Tu dois garder tout ça pour toi. Promets-le-moi. Tu en seras capable?

Mélodie comprit que le moment était venu pour elle de s'éclipser. Elle ne voulait pas savoir ce que Jackson allait répondre. Elle en avait déjà trop entendu.

CHAPITRE 19

PLAN B

Le plan A de Frankie était prêt à être activé. Après une semaine d'intense préparation, c'était le moyen le plus honorable qu'elle avait trouvé pour aller au bal de rentrée. Mais ce n'était pas le seul.

—Maman, papa, je peux vous parler une minute? demanda-t-elle après sa charge du soir et une bonne séance d'aromathérapie spéciale sutures.

Ils étaient installés sur le canapé et lisaient près de la cheminée en écoutant du jazz. Ils avaient retiré leur couche d'Absolue Perfection et leurs boulons cervicaux étaient exposés à l'air libre. Depuis sept jours entiers, Frankie préparait le dîner chaque soir, faisait la vaisselle et s'était tenue tranquille.

C'était le moment idéal.

—Qu'est-ce qu'il y a?

Viktor posa sa revue médicale et retira ses vieilles UGG trouées de l'ottomane, ce qui était sa façon de l'inviter à s'asseoir.

—Hum…

Frankie tripota les sutures de son cou. Elles étaient souples et détendues, grâce au bain de vapeur.

—Ne tire pas sur tes fils, la sermonna Viveka.

Ses yeux violets tiraient sur l'aubergine par contraste avec le vert de sa peau. Frankie trouvait criminel que les autres ne puissent pas admirer sa beauté au naturel.

—Il y a quelque chose qui te tracasse? demanda Viktor.

—Non. (Frankie s'assit et enfouit ses mains sous ses cuisses.) Je voulais seulement que vous sachiez que j'ai beaucoup réfléchi au sujet de ce qui s'est passé la semaine dernière et que je suis d'accord avec vous. Mon comportement était dangereux et irréfléchi. (Les coins de leur bouche se relevèrent légèrement, comme s'ils refusaient de se laisser aller à sourire franchement tant qu'ils ne sauraient pas où cette conversation allait les mener.) J'ai fait tout ce que vous m'avez demandé : je suis rentrée directement après l'école, je n'ai pas envoyé de textos, ni de tweets et je n'ai rien posté sur Facebook. Je n'ai pas parlé aux autres élèves à la cantine, sauf pour répondre quand on m'adressait la parole.

Tout cela était véridique. Elle avait même évité de croiser le regard de Brett. Ce qui n'avait pas été trop difficile, étant donné que Bekka avait changé de place avec lui en cours de sciences.

—Nous savons tout cela. (Viktor se pencha en avant pour lui tapoter le genou.) Et nous sommes très fiers de toi.

Viveka confirma d'un hochement de tête.

—Merci. (Frankie baissa modestement les yeux. *Un… deux… trois… JE ME LANCE!*) Alors-est-ce-que-vous-croyez-que-vous-pouvez-me-faire-confiance-et-me-laisser-aller-au-bal-ce-soir ? lança-t-elle d'une seule traite avant que le courage lui manque.

Viktor et Viveka échangèrent un bref regard.

Sont-ils en train de considérer ma demande ? On dirait bien que oui ! Ils ont confiance…

—Non, répondirent-ils d'une seule voix.

Frankie se retint de lâcher une bordée d'étincelles. Et de hurler. Ou de les menacer d'une attaque en règle. Elle s'était préparée à cette éventualité. En prévision de quoi, elle avait lu *Conseils aux jeunes comédiens : le guide pour les ados qui veulent jouer comme des pros*, de Mary Lou Belli et Dinah Lenney. Afin de pouvoir faire comme si elle comprenait leur refus. Comme si elle l'acceptait. Et comme si elle allait regagner sa chambre sans faire d'esclandre.

—Tant pis. Merci de m'avoir écoutée. (Elle les embrassa sur la joue avant de se diriger vers sa chambre.) Bonne nuit.

—Bonne nuit ? s'étonna Viktor. C'est tout ? Pas de discussion ?

—Pas de discussion, confirma Frankie avec un sourire angélique. Vous ne pouvez pas lever ma punition si vous voulez qu'elle me serve de leçon. Je comprends ça.

—Bien.

Viktor replongea dans la lecture de sa revue médicale en secouant la tête comme s'il n'en croyait pas ses oreilles.

—On t'aime.

Viveka lui envoya un autre baiser.

—Je vous aime aussi. (Frankie lui en renvoya deux. Bon. Il était temps de passer au plan B.) Je vous préviens, les Glitterati, dit-elle en transportant ses confidents pailletés dans le coin salon du Glamoratoire. Ça va pas être beau à voir. Des règles vont être enfreintes, des amitiés mises à l'épreuve et les risques seront énormes. Mais c'est un petit prix à payer pour le grand amour et la liberté, vous ne trouvez pas ?

Elle posa la cage sur la table basse laquée orange et les rats de laboratoire grattèrent la paroi de verre en signe d'assentiment.

Frankie envoya plein pot *Just Dance*, de Lady Gaga, ouvrit un flacon de crème capillaire éclaircissante et en imprégna de larges mèches sur toute la longueur de ses cheveux, depuis le haut du crâne jusqu'aux pointes en les espaçant d'environ dix centimètres. Elle aurait ainsi exactement la même coiffure que sa grand-mère. En attendant que la crème agisse, elle s'allongea sur sa banquette couverte de coussins rouges et entreprit de composer un message pour Lala sur le clavier de son téléphone.

—C'est parti, soupira-t-elle.

FRANKIE : Cest tjrs le boycott ?

LALA : Ouaip. Cléo, Clawdeen et Lagoona sont avc moi. Contente ke tu sms de nouveau J T sure ke tu peux pas venir ?

FRANKIE : Chuis punie ☹

—Et voici la partie où un peu de manipulation entre en jeu, expliqua Frankie aux Glitterati. J'ai un secret depuis le début de la semaine, et je ne peux plus le garder pour moi. Faut que ça sorte. (Elle composa un nouveau texto et appuya sur la touche «envoi».) Ne me jugez pas.

FRANKIE : Flash Infos : mes parents étaient chez la nvelle, Mélodie, ce w-e pr une soirée dégustation de vins et ils ont entendu quelle allait au bal avc Deuce.

LALA : Flash Infos : Tu sais quils louent la maison de mes grands-parents ?

Ce n'était pas tout à fait la réponse que Frankie espérait.

FRANKIE : Cool pr tes grands-parents. Tu crois que cest vrai pr Deuce ? Cléo est au courant ?

Silence… silence… silence… silence… silence… Il était déjà 18 h 50. Le bal commencerait dans quarante minutes. Mais que…

CLÉO : Cest vrai ?

Frankie se redressa sur la banquette. *Yes !*

FRANKIE : Cest ce ke ma dit ma mère.
FRANKIE : Envie de les prendre en flag ?
CLÉO : Grav. Mais on na pas de costumes ☹

Yes ! Yes ! Yes !
—Ça marche ! dit Frankie aux Glitterati.
Elle se sentait un peu coupable de manipuler ainsi ses amies. Mais elle ne leur disait que la vérité. Et c'était pour leur

bien autant que le sien qu'elle faisait ça. Elles lui diraient merci une fois que tout serait fini. Tout le monde lui dirait merci. Mais, pour cela, il fallait faire en sorte qu'elles aillent au bal.

FRANKIE : C'est la parade des monstres, t'as oublié ? Nos costumes, on est nées avc ! Des costumes d'enfer, trop stylés !

FRANKIE : C'est le moment de voir ce que les gens pensent de nous. Telles que nous sommes.

FRANKIE : Fo leur montrer kia rien à craindre.

FRANKIE : Si nous on surmonte pas nos peurs, ils le feront jms.

Mieux valait faire une pause avant que ses amies l'accusent de les spamer. Mais elle avait du mal à ne pas en profiter pour tenter de les convaincre. Elle n'avait jamais éprouvé de sentiment si fort. Pas même pour Brett.

Silence… silence…

— Mais qu'est-ce qu'elles foutent ? s'interrogea Frankie, qui lâcha quelques étincelles avant de s'allonger.

Silence… silence… silence… silence… silence… silence… silence… silence… silence… silence… silence… silence… silence… silence… silence… silence… silence… silence…

silence… silence… silence… silence… silence… silence… silence…

CLÉO : Tes pas punie ?
FRANKIE : Je vais passer par la fenêtre.

Silence… silence… silence… silence… silence… silence… silence… silence… silence… silence… silence…

LALA : Rdv en haut de Radcliffe dans 5 mn.
LALA : Tas intérêt ke sa marche.
FRANKIE : ☺

Ses pieds chaussés de mocassins pédalèrent dans les airs. *Yes ! Yes ! Yes !*

Frankie envoya un baiser aux Glitterati, éteignit la musique et attrapa le sac de vêtements qu'elle avait pris au garage. Vêtue seulement d'un jogging et d'une couche de gloss brillant, elle enjamba sa fenêtre de verre dépoli et franchit d'un bond les deux mètres qui la séparaient de la liberté, plus chauffée qu'une carte Visa au moment de Noël.

CHAPITRE 20

LE MONSTRE EST À NOUS

— Allez, une dernière photo !

Le père de Bekka s'extirpa vivement du 4 x 4 Cadillac SRX rouge. Il portait un sweat en polaire bordeaux, un pantalon beige de la marque Dockers et des mules bleues.

— Papa ! le rabroua Bekka en martelant la chaussée d'un pied moulé dans un escarpin de satin. (Elle montrait les marches de l'entrée du lycée imprimées d'empreintes de pieds géants de couleur verte où s'étaient regroupés quelques lycéens costumés qui se la jouaient trop cool pour entrer tout de suite. Des rubans de brouillard s'échappaient des battants de l'entrée plongée dans l'ombre, apportant avec eux les trépidations sourdes des basses.) Brett m'attend à l'intérieur.

— C'est bon. (Mélodie entoura de ses bras les épaules de Bekka et de Haylee.) Une photo de plus ne va pas nous tuer.

— Peut-être pas, marmonna Bekka comme un groupe de terminales déguisées en Pom-pom goules s'approchait à grands pas. Mais ça va nous mettre la honte.

—Souriez, les filles! insista M. Madden en remontant ses lunettes sur son front dégarni.

Bekka et Haylee s'exécutèrent. Mélodie fit de son mieux. Elle avait eu moins de mal à récupérer après son opération de chirurgie faciale. Elle était pourtant en bonne santé, n'avait presque plus d'asthme et faisait partie d'une famille aimante. Tout ce qui lui manquait était une relation amoureuse qui durerait plus longtemps que le temps d'un baiser. Était-ce trop demander?

Jackson l'avait évitée toute la semaine. Prétextant des devoirs ou des migraines, il avait décliné toutes les sollicitations de Mélodie. En bonne copine-qui-sait-tout-mais-ne-peut-pas-l'avouer, elle avait dit qu'elle comprenait. Pourtant, Mélodie ne demandait qu'à l'aider. Elle voulait lui offrir une épaule pour pleurer. Partager son fardeau. Lui dire qu'elle s'était sentie dans la peau d'un «monstre» toute sa vie et qu'elle savait ce qu'il ressentait. Mais il ne voulait manifestement pas de son épaule, ni d'aucune autre partie de son corps et ce rejet lui comprimait la poitrine plus que son asthme ne l'avait jamais fait.

Chaque soir, seule dans sa chambre encombrée de cartons, Mélodie avait résisté à l'envie de se confier à Candace. Le secret de Jackson était trop compromettant pour être partagé. Elle tâchait de se convaincre que la distance qu'il maintenait entre eux n'avait rien à voir avec les sentiments qu'il lui portait, et n'était que la conséquence de la promesse faite à sa mère. Mais l'amour-propre qu'elle s'administrait pour soigner ses blessures commençait à lui faire défaut. Au bout d'un moment, ça devenait même pathétique, comme de s'envoyer soi-même des fleurs à la Saint-Valentin.

Mélodie n'avait pas réussi à chasser ses idées noires, mais elle avait fait l'effort de s'habiller pour le bal. Elle ne voulait pas laisser tomber ses deux nouvelles amies, la Fiancée de Frankenstein et sa Demoiselle d'horreur.

—Vous êtes superbes, les filles! s'extasia M. Madden en remontant dans la voiture dont il avait laissé la portière ouverte. Je vous reprends ici à 22 heures tapantes, annonça-t-il avant de repartir.

Les phares de sa voiture se fondirent dans la nuit comme il s'éloignait, emportant avec eux tout espoir qu'avait pu nourrir Mélodie d'écourter sa soirée. Pourquoi avait-elle accepté de laisser son sac dans la voiture? Bekka avait fait valoir que ça «leur laisserait les mains libres». *Bah!* C'était tout le contraire. Mélodie était condamnée à passer deux heures et demie avec le mauvais garçon.

—Tu peux au moins essayer de t'amuser, s'il te plaît? l'implora Bekka comme si elle lisait dans ses pensées.

Mélodie le lui promit.

—Tu es magnifique.

—J'espère bien.

Bekka laissa échapper un soupir chevrotant, souleva sa traîne et entreprit de monter les marches, en équilibre précaire sur ses talons de dix centimètres.

Bekka prenait très au sérieux son rôle de Fiancée de Frankenstein, qu'elle considérait comme une audition pour celui de fiancée de Brett. Elle avait appliqué un beau vert lumineux sur les moindres parties de son corps – y compris les endroits dont sa mère avait souligné qu'ils ne devaient «être vus par personne d'autre que Dieu et l'intérieur d'un pot de chambre». Plutôt que de porter une perruque, Bekka avait patiemment coiffé et laqué ses cheveux en forme de cône ébouriffé par le vent, sur lequel elle avait créé des mèches blanches à l'aide d'un produit de décoloration pour le duvet labial. Ses sutures étaient réalisées à l'aide de véritable fil chirurgical fixé sur ses poignets et sur son cou par du scotch double face, parce que se contenter de les dessiner au crayon noir n'aurait pas «fait honneur au personnage». Elle avait finalement troqué sa robe du Costume Castle pour une vraie robe de mariée de chez Pronuptia. C'était ce soir ou jamais que Brett contemplerait son avenir dans ses yeux lourdement fardés de noir. C'était du moins ce qu'elle s'était mis en tête.

— Toi aussi, tu es superbe, Hayl, ajouta Mélodie.

— Merci, sourit Haylee, qui ressemblait à une concurrente d'un concours de beauté pour enfants possédés.

Vêtue d'une robe brillante de couleur jaune et de collants blancs, le visage de la Demoiselle d'horreur était barbouillé de maquillage noir, blanc et rouge, et elle portait au bras un panier rempli d'insectes en caoutchouc.

Personne ne complimenta Mélodie sur son déguisement, et, si les filles s'y étaient risquées, elle aurait su que c'était un mensonge. Avec ses leggings noirs, la veste Chanel noire de sa mère, des ballerines noires, un béret et une bonne dose de maquillage d'Halloween rouge et noir, elle avait choisi d'incarner le Chic Monstre. Les autres étaient tombées d'accord que c'était toujours mieux que sa première idée de Catastrophe naturelle.

À l'instant où Bekka poussa les portes du lycée, Mélodie se sentit oppressée.

— Je ne peux pas entrer ici !

Un Squelette et un Cyclope en profitèrent pour se glisser à l'intérieur.

— Melly, fais un effort, d'accord ? la rembarra Bekka.

— C'est pas ça, dit-elle, la respiration sifflante. Les fumigènes. Mon asthme. Mon inhalateur est resté dans la voiture de ton père…

— Entre là-dedans !

Bekka poussa Mélodie dans l'épais brouillard de fumée grise en direction du gymnase. Elle exerça une pression sur le système de verrouillage pneumatique et la porte s'ouvrit avec un sifflement.

L'obscurité. Les lumières noires. Le remix de Rihanna. Les murs tapissés de sacs-poubelle. Les énormes cocons contenant de faux cadavres suspendus à la tuyauterie du plafond. L'odeur de semelles en caoutchouc et de gros scotch. Les longues tables de buffet réparties comme à la cantine en zones pour les allergiques, signalisées par des pierres tombales. Les tables rondes jonchées de faux fragments de corps humain. Les chaises enveloppées de draps blancs souillés de peinture rouge. Les filles costumées qui dansaient sur la piste. Les garçons, déguisés eux aussi, qui essayaient de se motiver pour aller les rejoindre. Tandis que Mélodie luttait pour respirer, tous ces détails assaillirent ses sens comme pour réclamer son attention avant qu'elle perde connaissance.

—Tiens.

Bekka lui tendait un inhalateur.

Mélodie aspira une grande bouffée du produit.

—Ahhhhh…, exhala-t-elle avec ravissement. Où est-ce que tu as trouvé ça ?

—Je l'ai pris dans ton sac avant qu'on descende de voiture. (Elle donna l'inhalateur à Mélodie.) Le proviseur Weeks est dingue des canons à fumée. Il ne peut pas s'en passer, même pour Thanksgiving. Il dit que c'est parce qu'il y avait du brouillard le jour où les premiers colons ont débarqué du *Mayflower* sur le rocher de Plymouth.

—Merci. (Mélodie lui sourit et fronça les sourcils en même temps.) Si Brett se dégonfle, c'est moi qui te fais ma demande ce soir.

—Laisse tomber la demande et promets-moi seulement d'essayer de t'amuser.

—Je le jure.

Mélodie leva la main, paume en avant. C'était bien le moins qu'elle puisse faire.

Deuce s'avança vers elles d'une démarche assurée.

—Voilà le Chapelier fou, annonça Haylee.

Avec son haut-de-forme de velours rouge, un smoking assorti et ses éternelles lunettes de soleil, Deuce était vraiment top sexy. Quitte à se retrouver coincée avec le petit ami d'une autre pour se consoler de l'absence du garçon de ses rêves, Deuce était le candidat idéal, décida Mélodie.

—Salut… la fille au béret, lança-t-il pour ne pas risquer de l'offenser au vu de son déguisement douteux.

—J'incarne le Chic Monstre, dit-elle en rabattant son béret sur un œil, qu'elle leva au ciel tellement elle se trouvait pathétique.

—Ouais, je vois ce que tu veux dire.

Il hocha la tête en souriant.

—On va chercher Brett et Thomas, déclara Bekka en s'éclipsant avec Haylee avant que Mélodie ait pu les retenir.

Restés seuls, Mélodie et Deuce ne purent que contempler l'ambiance festive autour d'eux.

Des monstres de tous acabits se retrouvaient, se lançaient des compliments et entraînaient des partenaires réticents vers la piste de danse.

—Pourquoi ces lunettes de soleil? demanda Mélodie pour faire la conversation. Il fait hyper noir ici, tu ne dois rien voir du tout.

Pour se mettre dans l'ambiance et le taquiner un peu, elle les lui retira.

—Rends-moi ça! hurla-t-il.

Il semblait tellement furax qu'il ne put même pas la regarder. Ses yeux glissèrent par-dessus son épaule, puis il les referma très vite, cherchant ses Oakley à tâtons comme un aveugle.

—Les voilà. (Mélodie déposa les lunettes entre ses mains bronzées. Il les remit aussitôt sur son nez.) Désolée, je voulais seulement…

Elle ne termina pas sa phrase. Que voulait-elle faire, au juste?

—C'est bon, répondit Deuce plus doucement. Je crois que je ferais mieux d'appeler Cléo. Elle est toute seule chez elle et tout… Tu m'attends ici une minute?

—Oui, pas de problème.

—Super, dit Deuce en bousculant la statue de pierre d'une sorcière perdue au milieu du gymnase dans sa précipitation à gagner la sortie.

Après avoir remis sur pied la statue chancelante (cette sorcière avait de faux airs d'une fille de son cours d'anglais), Mélodie partit à la recherche de Candace et surtout de l'argent nécessaire pour prendre un taxi. Elle habitait à seulement trois pâtés de maisons, et alors? Rentrer d'un bal sans cavalier était presque aussi infamant que de s'affaler sur un canapé avec un pot de Ben & Jerry's. Si le sentiment qu'elle éprouvait était le parfum d'une glace, ce serait celui de l'orange amère.

Il était presque 20 heures et les lycéens trop-cool-pour-être-ponctuels qui s'étaient regroupés devant l'entrée se dirigeaient à présent d'un pas nonchalant vers le gymnase. Ils affichaient un air important, histoire de bien montrer qu'ils auraient très bien pu choisir de sortir dans un lieu plus branché, et s'avançaient d'une démarche conquérante en examinant la déco comme des acheteurs potentiels dans une galerie d'art. Agglutinés les uns aux autres comme des grappes, ils s'obligèrent à ne pas envahir la piste de danse quand les premières mesures de *On to the Next One*, de Jay-Z, retentirent, rendant presque impossible pour Mélodie de repérer Candace, déguisée en Fée gothique. La plupart des brunes profitaient des bals costumés pour passer au blond, mais les blondes ne se déguisaient jamais en brunes, et c'était au mieux comme de chercher une aiguille dans une botte de foin.

Tandis qu'elle cherchait sa sœur dans la zone végétarienne, Mélodie découvrit un buffet raffiné proposant des «doigts

de gobelins » qui n'étaient autres que des minicarottes et des
« molaires de bêtes féroces » sous la forme de carrés de tofu.

— Tu veux un verre de « punch au sang » ? proposa quelqu'un
derrière elle.

La voix était douce, mais ne manquait pas d'aplomb. Une
voix familière, dynamisée par une dose d'assurance. Comme si
le modèle original avait été amélioré et qu'elle était sur le point
de rencontrer la version 2.0.

Holt ?

Mélodie se retourna brusquement et reçut un liquide rouge
en pleine figure.

— Oups, je suis désolé !

Holt (à moins que ce soit Jackson ?) attrapa un paquet
de serviettes en papier noires derrière un saladier étiqueté
« rognures d'ongles de démons » rempli de Fritos.

— Pas grave. (Mélodie s'essuya le visage.) Je cherchais un
prétexte pour enlever ce maquillage.

Il se transforma aussi sec en distributeur humain, lui
présentant les serviettes en papier les unes après les autres à
un rythme soutenu et avec une précision infaillible. Une fois
tout le liquide absorbé et les serviettes jetées en boule dans
une poubelle estampillée « abjections et immondices », ils
échangèrent un sourire chaleureux qui donna l'impression à
Mélodie de rentrer à la maison après un long voyage.

— Jackson ? (Il acquiesça doucement.) Qu'est-ce que tu fais
là ? demanda-t-elle, soulagée que ce soit lui. C'est pas que tu
n'aies pas le droit d'être là ou quoi… Mais… tu sais bien… tu
étais toujours pris ces derniers temps.

—Je me suis dit que tu aurais peut-être envie de danser avec un beau gosse qui a la bosse.

Il montra le coussin qu'il avait glissé sous son pull comme une bosse dans le dos.

—Oh! (La bonne humeur de Mélodie retomba comme un soufflé. Elle le prit par le poignet pour l'attirer vers une table libre et lui chuchota à l'oreille :) Holt? C'est toi?

—Non. (Jackson rougit.) C'était une blague. Je me suis dit que tu avais besoin qu'on te fasse rire, c'est tout.

—Moi? Et pourquoi ça?

—Ben, j'ai vu Deuce décamper, et je sais que c'était ton cavalier et tout ça.

Mélodie hoqueta, s'efforçant de prendre l'air offusqué. Jackson faisait manifestement un effort pour avoir l'air chagriné que son cavalier l'ait laissé tomber, sans beaucoup de succès, car un sourire flottait sur ses lèvres. Il semblait ravi de voir qu'elle était libre. Pour dire la vérité, Mélodie était du même avis.

—Tu m'espionnais?

Il prit le bras en plastique vert d'une poupée sur la table et l'agita sous son nez.

—C'est toi qui m'as montré l'exemple!

—Moi?

—Tu vas peut-être me dire que tu ne m'espionnais pas le soir où je t'ai trouvée dans la chambre de Candace?

Mélodie ouvrit la bouche pour protester, mais ce fut un rire qui en sortit. Jackson rit avec elle, puis il lui prit la main. Un chaud courant passa entre eux, comme une prise électrique qui vient d'être branchée.

—Tu es donc venu dans l'intention de nous séparer, Deuce et moi? plaisanta Mélodie.

Il passa une main dans ses longues mèches et détourna les yeux vers les monstres qui tournoyaient sur la piste de danse.

—Je voulais seulement m'assurer qu'il te traitait correctement.

Elle lui serra la main pour lui montrer qu'elle appréciait sa sollicitude, et il lui rendit sa pression pour lui dire qu'il serait toujours là.

Plongée dans le vacarme étourdissant de la fête, Mélodie se sentait comme une baudruche pleine d'eau au milieu de ballons d'hélium. Lestée par le poids du secret de Jackson. Affligée par son refus de le partager. Persuadée que le lien qui les unissait deviendrait plus fragile au fil des jours. Leurs secrets respectifs finiraient par se dresser entre eux, les éloignant l'un de l'autre comme des aimants de même polarité.

Il fit courir ses doigts sur le faux sang de sa chaise.

Elle lui adressa un sourire gêné.

Il lui rendit son sourire.

Et maintenant? Il y avait tant à dire, mais elle ne savait pas par où commencer. Aucune façon naturelle d'enchaîner ne lui venait à l'esprit. Aucune phrase de transition. Elle n'allait quand même pas attaquer avec un minable : «En parlant d'écouter aux portes…»

À défaut d'autre chose, elle tenta le coup quand même.

—En parlant d'écouter aux portes…

—Hein?

Il rit de son rire habituel – un mélange de fascination et d'étonnement – comme s'il regardait deux mille-pattes s'accoupler.

—Ben oui, tu m'as prise en flagrant délit d'espionnage, et là je viens de te prendre aussi à m'espionner…

—Euh… tu ne m'as pas vraiment pris en flagrant délit. C'est moi qui suis venu vers toi et…

—D'accord. Encore mieux. (Mélodie ferma les yeux et prit une profonde inspiration.) À mon tour de venir vers toi pour te dire que… (Elle aspira une rapide bouffée de son inhalateur.) Tu te souviens que tu t'es introduit chez moi sans prévenir une fois ou deux? (Il acquiesça.) Ben, j'ai fait plus ou moins la même chose. (Elle attendit sa réaction. Il comprendrait peut-être où elle voulait en venir et finirait l'histoire à sa place. Mais il se contenta de la regarder en attendant la suite, sans lui offrir aucune porte de sortie.) Je sais tout. Je-t'ai-entendu-parler-avec-ta-mère-et-j'aurais-dû-partir-mais-je-ne-l'ai-pas-fait-parce-qu'il-fallait-que-je-sache, débita-t-elle d'une seule traite. (Elle reprit sa respiration.) Je voulais comprendre.

Le cœur de Mélodie battait au rythme des basses qui résonnaient dans les enceintes. *Dis quelque chose!*

Jackson baissa les yeux sur le sol du gymnase et se leva lentement de sa chaise. Il s'en allait.

—Je n'ai qu'une chose à dire.

Il fouilla dans la poche avant de son jean.

La poitrine de Mélodie se serra. Elle prit une autre bouffée de son inhalateur, ce qui n'y changea rien.

—Quoi? Dis-moi ce que c'est!

Il tira de sa poche un miniventilateur à piles et enclencha l'interrupteur. Les ailettes de plastique blanc se mirent à tourner sur la base bleu ciel en vrombissant comme une abeille.

—Ces petits machins sont géniaux!

—Hein? (Mélodie rit à moitié.) Tu n'as pas entendu ce que j'ai dit? (Il hocha la tête et se renversa contre le dossier de sa chaise pour profiter de sa brise portative.) Jackson, je connais ton secret, insista-t-elle. J'ai écouté aux portes.

—Qu'est-ce que tu veux que je te dise? (Il se pencha vers elle.) De filer dans ta chambre?

—Non, mais…

—Il n'y a pas de souci. (Il lui sourit.) Je suis déjà au courant.

—Ah bon?

—Pourquoi crois-tu que j'avais laissé la porte ouverte? dit-il avec détachement. Et je t'ai vu repartir chez toi en courant.

—Tu m'as vue! Pourquoi ne m'as-tu rien dit?

—Je voulais être sûr que tu l'accepterais. Je ne voulais pas que tu te sentes redevable. C'est quand même un secret plutôt lourd à porter, non?

—C'est comme ça que tu as attrapé ta bosse, alors?

Il rit.

Elle rit aussi.

Ils attendirent un slow pour aller danser.

Joue contre joue, ils se balancèrent l'un contre l'autre au rythme des accents de Taylor Swift, deux monstres véritables dans un gymnase rempli d'imposteurs. La force invisible qui aurait pu les séparer avait disparu. La seule chose qui se dressait dorénavant entre eux était la douce brise du ventilateur de poche de Jackson.

CHAPITRE 21

FRANKIE PERD LA TÊTE

Frankie, Lala, Lagoona, Clawdeen et Cléo se tenaient par la main devant la double porte du gymnase, telles les Pussycat Dolls pour le dernier rappel. Elles s'étaient encouragées mutuellement pendant le trajet en voiture, avaient mis la touche finale à leurs tenues sur le parking, et décrété que leur *coming out* était un petit pas pour les filles et un grand pas pour la RADité. Ne restait plus qu'à trouver le cran d'entrer avant la fin du bal.

— Bon, je compte jusqu'à trois. (Frankie se redressa, les épaules à demi dénudées par les dentelles délicates de la robe de mariée de Bonne-Maman Frankenstein.) Un… deux…

Les portes s'ouvrirent brutalement et un garçon fonçant tête baissée comme un taureau émergeant du toril percuta la chaîne de leurs bras, brisant leur unité.

— Deuce ? s'exclama Cléo, ses boucles d'oreilles chandeliers oscillant sous la masse de ses cheveux noirs et raides.

Elle était emmaillotée de la tête aux pieds dans des bandelettes de lin blanc et parée de somptueux bijoux d'or et de turquoise. Sa couronne d'or massif en forme de serpent aux yeux sertis de rubis pouvait également lui servir d'arme, qu'elle n'hésiterait pas à utiliser pour punir les traîtres. C'était en tous les cas ce qu'elle avait affirmé dans la voiture.

— Salut, bredouilla-t-il en remettant en place son haut-de-forme de velours. Je sortais justement pour t'appeler. Je croyais que tu devais rester chez toi… et boycotter le bal ?

— À partir de maintenant, c'est plutôt les boyfriends infidèles que je vais boycotter !

— Bien envoyé ! la félicita Clawdeen, vêtue d'une minirobe dévoilant sa fourrure, en lui tapant dans la main.

— Attendez. (Deuce recula d'un pas.) C'est quoi, ces déguisements ?

Il les détailla tour à tour, avisant les mèches blanches dans les cheveux de Frankie et sa peau verte, les crocs de vampire de Lala, les nageoires de Lagoona, la fourrure apparente de Clawdeen et le corps momifié de Cléo.

— Vous êtes dingues ou quoi ? cingla-t-il à voix basse en les repoussant vers les canons à fumée malodorants.

Le tube de Beyoncé *Single Ladies (Put a Ring on It)* retentit soudain à l'intérieur.

— Une chanson pour les célibataires. Exactement ce qu'il me faut ! s'écria Cléo.

Elle tendit les mains et les filles s'en saisirent.

— Cléo, tu n'es pas célibataire ! (Deuce s'interposa entre la porte et elle.) Toute cette histoire avec Mélodie est un malentendu. Je te le jure. J'allais justement t'appeler.

— « Si tu l'avais voulu, tu aurais dû me passer la bague au doigt », chantonna Cléo avec Beyoncé.

—Où ça? répliqua Deuce en soulevant sa main couverte de bijoux. Il n'y a plus de place. Tous tes doigts sont pris.

—Alors, va voir ailleurs si j'y suis.

Elle lui fit un signe d'adieu puis ouvrit d'un coup de pied la porte du gymnase, entraînant à sa suite le reste de la bande.

—Ne faites pas ça! tenta-t-il de les retenir.

Trop tard. Le tempo rapide et enfiévré de la chanson de Beyoncé happa les filles, comme hypnotisées par le chant d'une sirène, et les mena directement sur la piste de danse. Toujours animée par la volonté de changer le monde, fortifiée par la présence de ses amies, Frankie fendit la foule avec l'assurance d'une super star.

Les têtes se tournèrent sur leur passage. Les compliments fusèrent comme des roses jetées à leurs pieds. Les Glitterati auraient pu être fiers. Viv et Vik également.

En arrivant au bord de la piste de danse, elles virent Bekka et sa copine à l'allure d'une souris. *Sans Brett!* C'était bon signe. Bekka se planta devant Frankie, qui dut lâcher la main glacée de Lala.

—T'es qui, toi? demanda Bekka, manifestement contrariée de voir une autre fille porter le même costume qu'elle.

Frankie songea un instant à divulguer sa véritable identité, mais se ravisa aussitôt.

—Je suis la Fiancée de Frankenstein, répondit-elle avec candeur.

Bekka montra les pieds nus de Frankie.

—Tu n'avais plus assez d'argent pour t'acheter des chaussures après ta razzia au bazar du coin?

—Tu ne savais pas que la Fiancée de Frankenstein était pieds nus le jour de son mariage ?

—Et toi, tu ne savais pas que la Fiancée de Frankenstein avait un futur mari ?

—Bien sûr que si, répliqua Frankie avec suffisance. Figure-toi que c'était même… (Elle s'interrompit de nouveau. C'était une chose de jouer avec le feu. Se rouler dans les flammes était une autre affaire.) Tu sais que le vert te va très bien ? ajouta-t-elle avec sincérité.

—Eh ben, pas toi, lui renvoya Bekka. Ce qui est surprenant, parce que c'est pourtant ta couleur.

Sa minuscule copine se tenait à son côté et textotait sur le clavier de son téléphone.

—Hum, c'est vrai, mais je ne vois pas le rapport, dit Frankie en roulant des yeux.

La textoteuse leva les yeux de son écran.

—Le vert est la couleur de la jalousie, expliqua-t-elle.

—Et de toute évidence, tu es jalouse du couple que je forme avec Brett.

Mains sur les hanches, Bekka inspecta rapidement le gymnase.

—Pourquoi je serais jalouse d'elle ? demanda Frankie en montrant la fille au téléphone.

—Je ne suis pas Brett, fit remarquer la fille.

Frankie pouffa et les planta là avec un signe de la main. Elle était gonflée à bloc et tout cela ne lui faisait ni chaud ni froid, surtout de la part d'une plagiaire même pas fichue de poser correctement ses mèches dans une tignasse défraîchie à la Marge Simpson.

— Excellent, chuchota un garçon à son oreille.

Frankie se retourna, mais ne vit qu'une rose noire flottant dans l'air devant ses yeux.

— Tiens. (La rose s'approcha plus près.) Je l'ai piquée à une Fée gothique. Elle est pour toi.

— Billy ? gloussa Frankie.

— Ouais, répondit le garçon invisible. Je trouve ce que tu fais très courageux. (Il piqua la rose derrière l'oreille de Frankie.) Ne t'en fais pas, j'ai enlevé les épines.

— Merci.

Frankie caressa la fleur avec délicatesse, à la manière dont ce cadeau l'avait touchée.

— Aouuuuh ! hurla Clawdeen au milieu de la piste de danse.

— Aouuuuh ! répondirent les danseurs à l'unisson.

Pressée de retrouver ses amies, Frankie se fraya un chemin dans la foule en délire. Les mains se tendaient sur son passage pour toucher sa peau :

— Trop frais, le look !

— Ce maquillage vert fait hyper naturel.

— D'enfer, le déguisement !

— C'est des piercings de cou ?

— Je veux les mêmes.

— T'as raison, moi aussi.

— Ses coutures sont plus top que celles de ma balle de base-ball.

Frankie était aux anges, pas étonnée le moins du monde d'obtenir tant d'avis favorables : elle savait qu'ils réagiraient ainsi. Elle n'en avait jamais douté. Il suffisait de le démontrer.

Et c'était exactement ce que faisaient ses amies qui dansaient sans déguisement au milieu des normies. Frankie jeta un coup d'œil à l'écran de son téléphone pour relever l'heure exacte de ce moment historique : 20 h 13.

— Yeeeeehhh ! hurla-t-elle en rejoignant les autres.

— Frankiiiiiie ! l'accueillirent-elles.

— Ça, les meufs, c'est de la teuf ! déclara Lagoona en se vidant une bouteille d'eau sur la tête.

Sa peau couverte d'écailles argentées chatoya d'un éclat irisé.

— Wooooooooooouuuuuuh ! l'acclamèrent les normies en croyant qu'elle s'abandonnait complètement au délire de la fête.

La fourrure de Clawdeen commençait à friser dans la moiteur ambiante, Cléo s'éclatait avec un normie qui avait mis sa couronne en forme de serpent et Lala souriait de tous ses crocs.

— Regarde, dit-elle en désignant son front exsangue. Je transpire !

— Tu n'as pas froid ? s'extasia Frankie.

— Je meurs de chaud ! répondit Lala en balançant sa cape de cachemire dans la foule.

Leur jubilation partagée procura à Frankie une montée d'adrénaline inconnue jusqu'ici.

— Salut, belle mariée, murmura un garçon à son oreille.

— Billy ?

Le garçon la fit pivoter vers lui.

— Heu non, moi c'est Brett. Mais tu peux m'appeler FrankenBrett.

VOL-TAGE !

Vêtu d'un costume sombre, il était là devant elle, tenant entre ses doigts ses épaules habillées de dentelle dont il caressait tendrement la peau du bout du pouce. Avec sa couleur menthe à l'eau, ses boulons, ses sutures et sa mèche rabattue vers l'avant, il avait sorti le grand jeu. Et il était venu la chercher.

Dans ses rêves, ils allaient se cacher sous l'escalier. Pourtant ils étaient là, au vu de tous en plein milieu de la fête. Entourés de normies et de RAD. Ils ne se cachaient pas. Peau contre peau. Yeux dans les yeux. Et ils n'avaient pas peur.

Il caressa ses cheveux noirs parsemés de mèches blanches. Elle ressentit un frisson électrique.

—Je suis bien content que tu aies décidé de les porter longs au lieu de cette grosse choucroute. (Ses yeux couleur denim lui souriaient.) C'est beaucoup plus sexy.

Frankie en resta sans voix. Elle ne put que le dévorer des yeux. *Était-ce ce que ressentaient les zombies ?*

Il la prit par le cou de ses mains chaudes… attira son visage vers le sien… et lui donna son premier baiser. Comme dans les séries à la télé, mais en mieux.

En beaucoup mieux.

Frankie sentit des étincelles la parcourir. Et puis elle s'envola comme un ballon d'hélium s'échappant d'un bouquet d'anniversaire. Son corps flottait toujours plus haut et le monde à ses pieds lui paraissait de plus en plus petit. Les sons n'avaient plus aucun sens ; les responsabilités n'existaient plus ; les lendemains devenaient insondables. Elle ne vivait que pour l'instant présent. Rien avant. Rien après.

Ici et maintenant.

La caresse des pouces de Brett sur ses coutures se faisait plus pressante au fur et à mesure que leur baiser devenait plus profond. Frankie était sur un petit nuage. Heureuse d'avoir offert un bain de vapeur aux huiles essentielles à ses sutures. Fière de la douceur et de la souplesse qu'il devait sentir sous ses doigts. Certaine qu'elles finiraient par devenir l'une des choses qu'il préférerait chez elle.

Il prit sa tête à pleines mains, l'entraînant à droite et à gauche, comme pour mener une danse qu'il n'aurait chorégraphiée que pour eux. *Hummm.* Cette idée lui plaisait. Une danse rien que…

« Craaaaac ! »

Une douleur violente et foudroyante transperça le cou de Frankie. Ses lèvres se figèrent dans l'instant. Des étincelles jaillirent devant ses yeux. Elle fut prise de vertige, complètement désorientée. Elle était un ours en peluche dans le tambour d'une machine à laver. Puis le programme s'arrêta. Elle ne voyait plus que le tissu noir d'un costume, et n'entendait plus qu'un long cri.

— Haaaaaaaaaaaaaaaaaaaaaaaaaaaaaaaaaaaa !

Sa tête fut propulsée vers le plafond avec la force d'une fusée. Elle se trouva face à face avec Brett dont les yeux bleu denim montraient des signes de faiblesse. Ils roulèrent sur la gauche, sur la droite, et se révulsèrent. Ses paupières se fermèrent. Il se mit à tanguer, et Frankie avec lui. Ils tombèrent… tombèrent…

Ils s'effondrèrent sur le sol du gymnase. Frankie, molle comme une poupée de chiffon, atterrit sur le corps de Brett, et sa tête roula vers la cabine du Holt.

—Hiiiiiiiiiiiiiiiiiiiiiiiiiiiiiiiiiiiii !

Hurlements d'effroi et cavalcades affolées se mêlèrent dans la panique générale en un chaos assourdissant. Une botte géante prit son élan pour lui donner un coup de pied, mais un tourbillon invisible muni de mains la souleva pour la soustraire à la foule hystérique.

—La tête flotte dans les airs !

—Elle FLOTTE !

—ELLE FLOTTE TOUTE SEULE !

—UNE TÊTE QUI FLOTTE DANS LE VIDE !

Tout était brouillé. Des bribes d'images s'agitaient autour d'elle comme les pièces d'un puzzle qu'on secouerait.

—AU MONSTRE ! hurla quelqu'un, peut-être Bekka, mais c'était impossible à dire avec certitude.

—Une tête de monstre qui flotte dans le vide ! s'époumona une autre voix.

—Prenez son corps, murmura un garçon. Faites en sorte qu'on ne la voit pas. On se retrouve à côté de la voiture de Claude.

—Billy ? C'est toi ? voulut demander Frankie, mais les secousses et la douleur lancinante dans son cou l'empêchaient de parler.

« Tuuuuuuuuuuuuuu, tuuuuuuuuuuuuuu, tuuuuuuuuuuuuuu, tuuuuuuuuuuuuuu... »

Elle reconnut l'alarme d'alerte au monstre.

—Tout le monde sur les tables !

« Tuuuuuuuuuuuuuu, tuuuuuuuuuuuuuu, tuuuuuuuuuuuuuu, tuuuuuuuuuuuuuu... »

— Prenez vos chaises !

— Montez ! Montez !

— Vite !

« Tuuuuuuuuuuuuuu, tuuuuuuuuuuuuuu tuuuuuuuuuuuuuu, tuuuuuuuuuuuuuu... »

— Maintenant, criez !

— Arrrrrrgggggrrrrngggggghhhhhhh !

— Plus fort !

Un nuage de brouillard nauséabond enveloppa Frankie. Elle ferma les yeux, incapable de supporter plus longtemps la douleur. Alors qu'elle sombrait dans les ténèbres, elle se demanda à quoi ressemblerait le monde la prochaine fois qu'elle ouvrirait les yeux...

« Tuuuuuuuuuuuuuu, tuuuuuuuuuuuuuu, tuuuuuuuuuuuuuu, tuuuuuuuuuuuuuu... »

À supposer qu'il y ait une prochaine fois.

CHAPITRE 22

MONSTER HIGH

Après leur danse langoureuse, Jackson et Mélodie se remettaient de leurs émotions dans un coin tranquille du gymnase quand l'incident se produisit. Les cris qui venaient de la piste ne détournèrent pas Mélodie des histoires hilarantes que lui racontait Jackson sur ses drôles de voisins ni de la façon dont il les ponctuait de baisers délicats. Ce n'est que lorsqu'elle entendit Bekka hurler : « Au monstre ! » qu'elle décida d'aller voir ce qui se passait.

— Qu'est-ce qu'il y a ? demanda-t-elle à une Chauve-souris qui passait par là.

— Ils étaient en train de s'embrasser, et la tête de la fille s'est décrochée de son corps ! glapit-elle en se ruant vers la sortie.

Jackson se gratta la tête.

— Elle a vraiment dit ça ?

Mélodie gloussa devant l'insanité de cette affirmation.

— C'est sûrement encore un des effets spéciaux de Weeks.

— J'espère, dit Jackson en se mordillant un ongle.

—Tu as peur ? le taquina Mélodie.

—Un peu, avoua-t-il en jetant un coup d'œil par-dessus son épaule. Mais pas de la fille.

La plupart des élèves et des professeurs étaient montés sur les tables et donnaient à présent de grands coups de chaises dans le vide en poussant des grognements. Les plus courageux avaient choisi de combattre au sol et déchiraient mutuellement leurs costumes dans l'espoir de démasquer des agresseurs éventuels.

—AU MONSTRE ! hurlait toujours Bekka. AU MONSTRE ! AU MONSTRE ! AU MONSTRE !

Au fur et à mesure qu'elle se rapprochait des cris de Bekka, Mélodie en apprit davantage. Il apparut que le garçon impliqué dans cette affaire était Brett et que la fille sans tête n'était pas Bekka.

Tandis qu'ils remontaient la piste de la débâcle générale, les yeux noisette zébrés d'or de Jackson s'embuaient de panique.

—Mélodie, je crois que je ferais mieux de sortir d'ici, déclara-t-il, se cramponnant à son miniventilateur.

Un élève qui fuyait vers la sortie le bouscula et le ventilateur roula à l'autre bout du gymnase. Jackson tira plus fort sur le bras de Mélodie.

—Je ne peux pas laisser Bekka comme ça, dit-elle en le guidant à travers la cohue en direction de son amie frappée d'horreur.

—Pourquoi ? protesta-t-il. Elle ne risque rien, elle.

—Brett vient de la tromper !

—Au monstre !

Un Fantôme en pleine convulsion percuta Jackson avant de détaler à toutes jambes.

Quatre policiers armés firent irruption dans le gymnase, suivis d'une équipe médicale portant une civière.

—Mettez vos mecs aux abris! Les monstres sont à l'intérieur! Ils cherchent à s'accoupler avec notre espèce! hurla Bekka en s'agenouillant près du corps inanimé de Brett. Elle récupéra un fragment de fil chirurgical noir qu'il tenait dans ses doigts pour l'examiner de plus près.

—Allez, viens! dit Mélodie en entraînant un Jackson réticent sur la piste de danse.

Bekka se releva, les joues striées de larmes, le cône de ses cheveux en berne.

—Te voilà enfin! Tu as vu ce qui s'est passé? C'était horrible, dit-elle d'une voix entrecoupée de sanglots.

Mélodie se demanda si elle parlait de la décapitation ou de la trahison de Brett, mais elle acquiesça, c'était horrible de toute façon.

Haylee et Thomas étaient en train de faire leur déposition auprès d'un agent de police pendant que l'un des brancardiers agitait un flacon de sels sous le nez de Brett.

Il revint à lui en sursaut.

—AAAAAAAAAAAAAAAAAAH! se mit-il à hurler.

—Il souffre! appela Bekka. Faites quelque chose!

On lui injecta aussitôt un produit qui le calma instantanément, le transformant en bébé balbutiant.

—Ça va? (Bekka s'agenouilla près de lui.) Tu as pris cette fille pour moi, c'est ça? (Brett agita mollement son poignet en riant bêtement.) Brett ! tu as cru que c'était moi, c'est bien ça ?

Il la regarda et éclata de rire.

— Qu'est-ce que tu as fait à tes cheveux ?

Bekka ne répondit pas à sa question et revint à l'attaque.

— Elle n'avait pas de gloss parfumé à la mangue ! Ça ne t'a pas mis la puce à l'oreille ?

— Hé ! c'est-Bekka-qui-a-du-gloss-à-la-mangue, articula-t-il avec difficulté. Tu la connais, Bek-ka ? C'est ma copiiiiiiine.

— J'en étais sûre, monsieur l'agent, déclara Bekka.

— J'ai le grade de sergent. Sergent Garrett.

— Ce n'était pas un simple baiser, sergent Garrett. Elle lui a aspiré le cerveau. C'est leur truc ! Leurs femelles séduisent nos garçons pour leur aspirer le cerveau. Il faut la retrouver. Il faut l'arrêter ! (Elle lui remit le fragment de fil chirurgical.) Envoyez ça au labo. C'est notre seule piste.

— Mes meilleurs agents vérifient actuellement les maisons du voisinage, la rassura-t-il en glissant le fil chirurgical dans un sachet de plastique. S'il y a d'autres créatures non humaines en ville, je les trouverai. Comme mon grand-père en son temps.

Jackson tira Mélodie par la manche.

— Il faut vraiment que je sorte d'ici.

Les brancardiers soulevèrent Brett et l'installèrent sur la civière.

— Où l'emmenez-vous ? leur demanda Bekka.

— À l'hôpital de Salem.

— Je vous accompagne, décida-t-elle.

—Vous êtes de la famille ? demanda l'un des brancardiers.

—Je suis sa fiancée.

Jackson retira son pull. Le coussin qui lui servait de bosse glissa au sol.

—Il commence à faire chaud ! On devrait y aller.

—Melly, cria Bekka en s'éloignant, suivant le brancard. Haylee va rester dans le gymnase pour interroger les témoins. Toi, tu vas chercher cette... créature. Je t'appellerai depuis l'hôpital pour faire le point.

—Tu veux que je la cherche ? répéta Mélodie, qui n'en croyait pas ses oreilles. Tu ne crois quand même pas qu'un véritable monstre traîne dans le coin, n'est-ce pas ? Il y avait forcément un truc.

—Il n'y avait pas de truc, la pressa Bekka. Une fois que tu l'auras trouvée, transmets-moi les infos et je m'en occuperai. (Elle lui fit au revoir de la main.) Sois prudente !

—Et je fais comment pour retrouver un monstre qui n'existe pas ? demanda Mélodie à Jackson.

—J'en sais rien, mais il faut que je sorte.

Il la tira par le bras.

—Mélodie, où tu vas ?

Haylee s'avança vers elle d'un pas martial et déposa au sol son panier plein d'insectes.

Jackson secouait le bras de Mélodie.

—Je vais juste prendre un peu l'air, expliqua-t-elle.

—On n'a pas le temps pour ça ! aboya Haylee. Tu dois retrouver le monstre ! (Elle se donna un grand coup sur la tête.) Merde ! c'était bien le jour de laisser mon appareil dans la voiture de M. Madden. J'aurais pu la prendre en photo pour tirer des affiches.

Elle se retourna vers les rares élèves encore présents et les somma de lui remettre leurs appareils – elle pourrait au moins photographier la scène de crime.

Pour une fille si minuscule, Haylee était une véritable tornade.

— Mélodie, viens! (Jackson la tira vers lui avec insistance.) S'ils découvrent ce que je suis, ils viendront me chercher.

— Pourquoi ils feraient ça? Tu n'es pas un…

Elle s'arrêta tout net comme elle se rendit compte que ce n'était pas si évident. Être le descendant du Docteur Jekyll et de Mr. Hyde faisait-il vraiment de lui un monstre?

Haylee revint vers eux à grandes enjambées.

— Remue-toi! Mélodie, tu dois le faire pour Bekka. Elle le ferait pour toi. Les amies d'abord, tu n'as pas oublié?

Mélodie eut soudain l'impression d'être une balle de ping-pong, renvoyée d'un côté et de l'autre sans avoir son mot à dire. Elle voulait venir en aide à Jackson et à Bekka. Mais, si elle en choisissait un, elle décevrait forcément l'autre.

— Je sais, mais…

— Mélodie, on y va!

Jackson la tirait de plus belle, le front moite de sueur.

— Une seconde!

— Fais le bon choix! lui conseilla Haylee avant de filer mener son enquête.

— Viens! l'enjoignit Jackson entre ses dents serrées.

Mélodie poussa un soupir. Tout était confus autour d'elle, et maintenant à l'intérieur aussi. Les regrets l'assaillirent comme une gifle. Pourquoi avait-elle quitté Beverly Hills? Pourquoi avait-elle fait rectifier son nez de chameau? Si elle était restée Nélodie, personne ne se battrait pour elle, et elle ne se trouverait pas dans cette situation impossible.

Debout dans le gymnase quasi désert, au milieu des costumes en lambeaux, des petits fours piétinés, des chaises renversées et des tables salies de traces de souliers, Mélodie se bloqua comme un disque dur surchargé.

Jackson lui lâcha la main.

Elle se tourna vers lui, incapable de prononcer un mot.

Il n'avait plus ses lunettes et elle lut la déception dans ses yeux.

— Encore toi? (Il sortit sa chemise blanche de son jean.) Pourquoi est-ce que tu es toujours là? Ne le prends pas mal, mais tu es trop sérieuse pour moi.

Holt était de retour.

— Où est passée ma brune explosive? cria-t-il. Brune explosive, où te caches-tu? (Il présenta sa main levée à Mélodie.) Sans rancune, hein? Mais c'est mortel ici, il n'y a pas de musique. J'ai besoin d'une ambiance plus… animée.

— Je comprends.

Mélodie lui tapa dans la main, puis lui fit au revoir. Au lieu de courir après lui pour essayer de le protéger ou de le ramener chez lui, elle le regarda partir. Elle le *laissa* partir.

Mélodie aspira une grande bouffée de son inhalateur avant de fendre le brouillard en direction de la sortie. Elle ne savait pas comment rentrer chez elle. Ni à qui prêter assistance en premier. À sa meilleure amie ou à son amoureux? C'était bien là l'éternelle question.

Dehors, les gyrophares des véhicules de patrouille inondaient la rue de lumière tandis que les policiers pressaient les lycéens de rentrer chez eux et de regagner la sécurité de leur foyer. Le vent soufflait par rafales, violentes et saccadées, comme un asthmatique tentant de communiquer un message urgent. Les verres en carton rouge abandonnés par les fêtards s'entrechoquaient sur le parking qui se vidait, offrant la bande-son idéale pour une chasse aux monstres dans les règles – un truc qui aurait pu amuser Mélodie si elle n'avait pas eu l'impression d'être la plus monstrueuse des créatures.

— Je te ramène?

Mélodie se retourna et découvrit Candace dans l'embrasure de la porte embrumée de fumée. Vêtue d'une minirobe de dentelle noire, d'ailes noires pailletées et d'un casque de roses noires, elle descendit les marches avec la grâce d'une danseuse de music-hall.

Mélodie sentit l'adrénaline qui avait giclé dans ses veines se retirer soudain, et sa tension se relâcha. Ses membres se détendirent, son rythme cardiaque ralentit et sa respiration se stabilisa. Sa bonne marraine la Fée gothique venait de se matérialiser.

— Qu'est-ce que tu fais encore ici?

— Avec ce qui vient de se passer, je n'allais pas quitter le lycée sans m'assurer que tout allait bien pour toi, répondit Candace, comme si c'était une évidence. En plus, je ne me suis jamais autant éclatée depuis qu'on a déménagé. C'était nettement plus fun que n'importe quel bal du lycée de Beverly Hills, tu peux me croire.

Mélodie essaya d'en rire.

—Rentrons, alors.

—Regarde.

Candace montrait du doigt le tableau d'affichage blanc sur le fronton du lycée. Quelqu'un avait déplacé les lettres noires de «MERSTON HIGH» qui formaient dorénavant les mots «MONSTER HIGH».

—Ha! fit Mélodie, sans rire.

Durant le court trajet du retour, Mélodie compta sept voitures de police filant à toute allure. Le silence de l'autoradio était presque plus assourdissant que leurs sirènes. Candace était pourtant du genre à mettre la musique à fond même quand son père lui demandait de sortir la voiture de l'impasse. Elle avait adopté la tactique de Glory et essayait de faire sortir Mélodie de sa coquille par le silence, dans l'espoir que le vacarme interne de son cerveau deviendrait si pesant qu'elle aurait besoin d'en évacuer un peu. Et quoi de mieux pour ça que le paisible habitacle où elles étaient confinées?

Le temps d'arriver dans leur rue, Mélodie commença à laisser filtrer quelques bribes de ce qui la préoccupait.

—Question.

—Oui, répondit Candace en attendant la suite, les yeux braqués sur la ruelle obscure qui s'ouvrait devant elle.

—Est-ce que tu as déjà eu à choisir ton camp entre une copine et un mec?

Candace hocha la tête.

—Il faut choisir lequel?

—Il faut choisir le bon.

—Et s'ils ont tous les deux raison?

—Ce n'est pas possible.

—Mais si, insista Mélodie. C'est bien ça le problème.

—Non. (Candace dépassa à faible allure une voiture de patrouille.) Ils croient seulement qu'ils ont raison. Mais toi, qu'est-ce que tu en penses? Qui représente ce pour quoi tu es prête à te battre?

Mélodie regarda par la fenêtre comme si elle s'attendait à trouver la réponse sur la pelouse d'un voisin. Toutes les maisons sauf la leur étaient plongées dans le noir.

—Je ne sais pas.

—Si, tu le sais, insista Candace. C'est juste que tu n'as pas le courage d'être honnête vis-à-vis de toi-même, parce que ça t'obligerait à faire un choix que tu n'as pas envie de faire et que tu as toujours détesté la difficulté. C'est pour la même raison que tu as arrêté de chanter, que tu n'as pas de vie sociale et que tu as toujours été une…

—Euh… c'est bon! Revenons au moment où tu parlais comme Oprah Winfrey, d'accord?

—Tout ce que je dis, Melly, c'est que tu dois te demander ce que tu choisirais si tu n'avais pas peur. C'est la réponse que tu cherches. C'est le camp que tu dois choisir. (Elle s'engagea dans l'allée circulaire devant chez elles et coupa le moteur du 4 x 4 BMW.) Si tu ne choisis pas le bon camp, tu te mens à toi-même et à tous ceux qui t'entourent. (Elle ouvrit la portière et empoigna son sac.) Oprah, terminé!

Elle claqua la portière derrière elle.

Mélodie se laissa aller en arrière dans son siège, profitant des derniers vestiges du chauffage avant que la voiture refroidisse.

Elle s'obligea à considérer les deux partis. Pas du point de vue de Bekka ou de Jackson, mais du sien. La loyauté contre l'acceptation. À chaque seconde qui passait, la voiture perdait un peu plus de sa chaleur.

Lorsque Mélodie prit finalement sa décision, elle grelottait de froid.

CHAPITRE 23

HS

Les odeurs qu'elle percevait laissaient à penser que la vie s'était arrêtée et que seuls subsistaient des instruments froids et stériles. Des lumières crues. Des solutions chimiques. Du verre et du métal. Des gants chirurgicaux en latex. Et encore autre chose que Frankie n'arrivait pas à identifier… Elle essaya d'ouvrir les yeux, mais ses paupières semblaient scellées. Ses membres entravés. Sa voix mise en sourdine. S'il était vrai que les chiens sentent la peur, c'est qu'elle devait avoir une odeur. C'était peut-être ce qu'elle sentait, alors. L'odeur de la peur.

Elle se manifestait dans les voix des gens qui parlaient autour d'elle. La peur giclait de leur bouche comme d'une éponge qu'on essore.

—C'est la chasse aux sorcières dehors.

—Deux flics sont venus fouiner dans mon grenier pendant une heure.

—Nos vies sont détruites.

—Je ne comprends pas. Comment avez-vous pu ne pas vous rendre compte que votre propre fille avait fait le mur?

—C'est ça que vous appelez une bonne éducation?

—Moi, j'appelle ça une menace pour la société, surtout la nôtre.

—Et ce garçon normie? S'il ne s'en remet pas, ça fera la une des journaux dans la presse nationale.

—Si ce n'est pas déjà fait.

—Je vous assure, dit Viveka en reniflant. Nous sommes dévastés par ce qui est arrivé. Nous avons tout autant à perdre que vous. Viktor et moi ferons tout ce qui est en notre pouvoir pour que ça ne se reproduise jamais.

—«Que ça ne se reproduise jamais»? Ce n'est pas le problème. Le problème c'est de savoir ce qu'on fait maintenant. Ma Lala va devoir se faire arracher les crocs si ça continue comme ça. Ses crocs, vous vous rendez compte!

—Clawdeen et ses frères devront avoir recours à une épilation définitive au laser. C'est leur fierté qui va en prendre un coup. Et c'est bientôt l'hiver… Ils vont mourir de froid!

—Vous savez au moins où sont vos enfants. Jackson n'est toujours pas rentré. Chaque fois que j'entends une sirène de police, je dois respirer dans un sac en papier pour ne pas faire une crise d'angoisse. Et s'ils se mettaient à faire des rafles? Et s'ils…

Mme J éclata en sanglots.

—Écoutez tous, s'il vous plaît… (Viktor s'exprimait d'une voix grave empreinte de lassitude.) Nous endossons bien sûr toute responsabilité pour… le regrettable incident de ce soir, mais n'oubliez pas que nous avons beaucoup plus à perdre que vous. (Il renifla, puis se moucha.) C'est notre fille qu'ils cherchent. Notre enfant. Oui, elle a commis l'irréparable, mais c'est elle qui est traquée. Mon bébé. Pas les vôtres!

—Pas encore.

—Ils cherchent une fille verte sans tête aperçue dans un bal costumé sur le thème des monstres, dit Viktor. On peut toujours dire que c'était une blague.

—Tu parles d'une blague.

—Viveka et moi allons faire le nécessaire pour éloigner le danger. À commencer par retirer Frankie de Merston High. Elle sera scolarisée à domicile et nous lui interdirons de quitter la maison.

—Je pense que vous devriez quitter Salem.

—Ouais!

—Je suis d'accord!

—«Quitter Salem»? explosa Viktor. Je croyais qu'on était une communauté! Comment osez-vous nous tourner le dos après tout ce que nous avons…

—Je crois que la nuit a été longue pour tout le monde, s'interposa Viveka. Je propose de reprendre cette discussion demain matin.

—Mais…

—Bonne nuit, conclut Viveka, coupant court aux protestations.

L'ordinateur émit un ultime bourdonnement avant de s'éteindre.

—Je ne peux pas croire à ce qui nous arrive! sanglota Viveka. Nous ne pouvons pas déménager. Et nos postes à l'université ? nos allocations de recherche ? notre maison ? Où irons-nous ?

Viktor soupira.

— Je n'en ai pas la moindre idée. (Il appliqua un dernier morceau de gaze sur les sutures de Frankie avant de mettre les lampes en veilleuse.) La bonne nouvelle, c'est que nous n'avons plus rien à craindre.

— Pourquoi ?

— Nos pires cauchemars viennent de se réaliser.

Ils verrouillèrent la porte de son Glamoratoire en sortant.

Restée seule dans un état de semi-conscience, Frankie sombra dans un sommeil intermittent. Mais, elle ne put échapper à l'accablant sentiment de culpabilité qui la tenaillait pour avoir détruit la vie de tant de gens. Dans ses rêves, sa culpabilité la rattrapait sous différentes formes. Elle provoquait de mortelles avalanches, pilotait des navires qui sombraient corps et âme, terrorisait des orphelins, poussait ses parents d'une falaise ou bien embrassait Brett de ses lèvres coupantes comme des rasoirs.

Entre chaque rêve, Frankie s'éveillait en sursaut, le visage baigné de larmes. Elle ne trouvait pas le repos pour autant dans le silence de sa chambre, où la réalité était omniprésente et sa culpabilité un fardeau trop lourd à porter. Chaque fois qu'elle ouvrait les yeux, elle s'empressait de les refermer. Et souhaitait ne plus jamais se réveiller.

CHAPITRE 24

L'ULTIMATUM DE BEKKA

Les doigts de Mélodie hésitèrent au-dessus de la sonnette. Sonner à cette porte signifiait beaucoup plus que le risque de tirer des gens du sommeil. Ça voulait dire qu'elle avait choisi son camp.

Elle appuya sur la sonnette et recula d'un pas. Son cœur battit plus vite. Elle ne redoutait pas la porte qui allait s'ouvrir, mais plutôt celle qui allait se refermer.

— Qui est là ?

— Mélodie Carver. Je suis une amie de…

— Entre, dit Mme J.

Elle était vêtue d'une robe de chambre en chenille noire, et tenait un Kleenex roulé en roule dans le creux de sa main. Elle jeta un coup d'œil par-dessus l'épaule de Mélodie avant de remettre vivement en place la chaîne de sécurité. Ses cheveux noirs coupés au carré étaient noués en une queue-de-cheval courte, et ses joues maculées de mascara, comme les taches d'encre d'un test de Rorschach. Sans ses lunettes à large monture à la Woody Allen, elle ressemblait à n'importe quelle mère dévorée d'inquiétude.

Mélodie balaya d'un coup d'œil furtif la maison faiblement éclairée. Les meubles sombres évoquant un salon funéraire lui parurent plus avachis que dans son souvenir. Comme si leurs fibres poussiéreuses étaient imprégnées de tristesse.

— Est-ce que Jackson est rentré ?

Mme J porta le mouchoir à ses lèvres en secouant la tête.

— J'espérais que tu saurais où il est. Il devrait déjà être rentré, et avec tout ce… Je me fais du souci, c'est tout. C'est compliqué.

— Je sais. (Mme J remercia Mélodie d'un sourire pour sa sympathie.) Non. (Mélodie posa une main sur la manche toute douce de sa robe de chambre.) Je veux dire, je suis au courant pour Jackson.

— Pardon ?

L'expression de Mme J se durcit.

— Je sais ce qu'il lui arrive quand il a trop chaud. Je sais ce qu'il devient et je sais pourquoi.

Le regard de Mme J se fit hésitant, comme si elle avait du mal à décider si elle allait assommer Mélodie avec un tisonnier ou s'enfuir en courant.

— Comment ? Comment es-tu au courant ?

— C'est lui qui me l'a dit, mentit-elle. Mais ne vous en faites pas. (Mélodie lui prit la main, qui était glacée.) Je ne le dirai à personne. Je suis venue pour vous aider. Je vais le retrouver.

— Mélodie, tu ne comprends pas ce qui est en jeu si ça venait à se savoir. Les choses sont plus compliquées que ce que tu sais. Plus compliquées que ce qu'il en sait lui-même. Beaucoup de gens pourraient en souffrir.

— Vous avez ma parole.

Mélodie leva la main droite, prête à s'engager pour le camp qu'elle avait choisi. Pas parce qu'elle était amoureuse de Jackson. Ni parce que ses baisers éveillaient en elle les mêmes sensations qu'une bouchée de cheese-cake au chocolat. Mais parce que retrouver Jackson, c'était le sauver de lui-même, et que c'était un combat qu'elle connaissait bien. Trouver la fille-monstre voleuse de petit ami était celui de Bekka. Si son *credo* était réellement « les amies d'abord », alors elle comprendrait.

Mélodie traversa en courant la rue plongée dans l'obscurité pour aller chercher son vélo et une lampe torche. Si elle avait demandé à ses parents ou à Candace de la conduire, elle aurait trahi la confiance de Mme J. Elle ne pouvait pas lui faire ça. Ce n'était pas non plus ce qu'elle voulait. Trouver Jackson et le ramener chez lui serait sa première réussite personnelle, qui ne devrait rien à la symétrie, à la rhinoplastie, ou à Candace. Cette mission de sauvetage montrerait à Mélodie de quoi elle était faite. Et pas ce que Beau avait fait d'elle.

— Tu t'es bien amusée au bal ? l'interpella Glory depuis le salon.

Elle prit sa tasse de thé sur la table basse pour la ramener à la cuisine.

— Super, répondit Mélodie en la rejoignant. Est-ce qu'on a une lampe de poche quelque part ?

Glory secoua la tête.

—On n'utilise plus que des lanternes. Elles sont au garage dans un coffre en plastique marqué « éclairage d'extérieur ». Il doit aussi y avoir des bougies. Pourquoi ?

—J'ai envie d'aller prendre l'air. C'était irrespirable dans le gymnase, et il fait tellement chaud ici.

—Tu es sûre que tu ne risques rien ? (Glory roula ses yeux aigue-marine.) Il paraît qu'il y a des monstres en liberté. (Elle posa sa tasse dans l'évier.) Tu peux le croire ? Ils n'ont parlé que de ça aux infos. (Elle eut un petit rire de gorge.) Ils ont la belle vie dans ces petites villes. Ils ne connaîtront jamais les véritables monstres qui infestaient notre ancien quartier. Tu n'es pas de mon avis ?

—Si, absolument, répondit Mélodie avec fébrilité. Bon, bonne nuit. Je ne rentrerai pas tard.

Glory souffla un baiser à sa fille avant de se diriger vers sa chambre.

Mélodie se précipita vers la porte d'entrée. Impatiente de commencer ses recherches, elle l'ouvrit d'un coup… et se retrouva nez à nez avec Bekka.

—Oh, mon Dieu ! qu'est-ce que tu fais là ? Est-ce que tout va bien ? Comment va Brett ?

Sa voix laissait-elle transparaître la culpabilité qu'elle éprouvait ?

—Il est stabilisé, mais il a eu une attaque d'hystérie et ne peut pas parler.

Mélodie serra Bekka dans ses bras. Bekka se laissa faire sans répondre à son étreinte.

—Tu dois être si inquiète.

—En effet, répondit Bekka. Et toi, hum, pourquoi n'es-tu pas en train de chercher le monstre?

—J'étais sur le point de sortir, dit-elle, heureuse de pouvoir dire la vérité.

—Bien, dit Bekka sans montrer la moindre satisfaction. Tiens. (Elle tendit à Mélodie son sac kaki des surplus de l'armée.) Tu avais laissé ça dans la voiture de mon père.

—Oh! merci. Ce n'était pas la peine de me le rapporter ce soir.

Mélodie grinça des dents en entendant le timbre artificiellement aigu que donnait à sa voix la culpabilité.

—Tu connais ma règle, dit Bekka avec un petit sourire narquois. Les amies d'abord.

—Ouais, les amies d'abord, répéta Mélodie.

—Les amies d'abord.

Bekka réitéra son petit sourire ironique.

Quelque chose avait changé. Ce n'était pas seulement le choc provoqué par la vision de son petit ami en train d'embrasser un prétendu monstre. Pas seulement la culpabilité de Mélodie qui avait refusé de se mettre en chasse d'un trucage. Ce n'était pas l'atmosphère qui avait changé. Ce qui avait changé, c'était ce qu'il y avait derrière les yeux verts de Bekka.

—Tu avais aussi laissé ça dans la voiture. (Bekka lui tendit son iPhone mais, lorsque Mélodie voulut le prendre, elle retira sa main et fit glisser son pouce sur l'écran.) Regarde un peu sur quoi je suis tombée.

Les premières images de la transformation de Jackson en Holt défilèrent.

« Holt… Je m'appelle Holt Hyde. Comme dans Docteur Jekyll et Mr. Hyde. *Comme mon arrière-grand-père… qui était un type hyper bizarre, d'ailleurs. Un excentrique. J'ai trouvé des documents dans le grenier de notre maison, et il semble qu'il se soit livré à des expériences vraiment chelou avec des boissons fortifiantes dans sa jeunesse – des expériences sur lui-même ! Et quand il buvait ses potions, on ne le tenait plus. Les boissons fortes, très peu pour moi, mais j'adore danser… T'as de la musique, ici ? »*

L'estomac de Mélodie se contracta. Sa bouche s'assécha et sa respiration devint laborieuse.

— Tu as fouillé dans mon téléphone ? réussit-elle à articuler, ne trouvant rien d'autre à dire.

— Non. C'est Haylee. Elle avait des doutes sur ta loyauté.

Pourquoi n'ai-je pas pensé à effacer cette vidéo ? Mélodie sentait battre son cœur jusque dans son cerveau en songeant aux conséquences que cette découverte allait avoir sur la vie de Jackson et de sa mère. Bekka n'était plus la meilleure amie qui la rencardait sur les mauvaises blagues de Brett et pensait à prendre son inhalateur au cas où. Elle était devenue l'ennemie et avait toutes les cartes en main.

— Rends-le-moi, insista Mélodie.

— Le temps de m'envoyer ta vidéo. (Bekka effleura plusieurs fois l'écran du téléphone et attendit la confirmation. « Vlooop. ») Voilà, tu peux le reprendre.

Elle posa sèchement le téléphone dans la paume glacée de Mélodie.

— C'était un délire, cette scène, tenta Mélodie. On tournait un film. Comme celui de Brett.

—Mensonges!

Bekka claqua des doigts et Haylee apparut, sortant de l'angle du porche. La fidèle assistante ouvrit son attaché-case vert et en sortit le contrat que Mélodie avait signé. Celui par lequel elle s'était engagée à ne jamais flirter avec Brett Redding, à ne jamais sortir avec Brett Redding et à fracasser toute fille qui sortirait avec Brett Redding. Haylee en fit des confettis qu'elle éparpilla sur le paillasson imprimé de la phrase «Avez-vous pensé à vous essuyer?»

Ce fut plus douloureux que Mélodie s'y attendait. En dépit de leurs excentricités, elle s'était attachée à Bekka et Haylee. C'étaient ses premières vraies amies.

—Bekka, je suis tellement…

Haylee sortit un autre document.

—Je n'ai rien à dire aux filles qui fraternisent avec les monstres, l'interrompit-elle sèchement. Mais puisque tu les aimes tant, tu sais sûrement où se cache celle que nous cherchons.

—Bekka, je ne sais pas, je te jure, se défendit Mélodie. Je ne crois même pas qu'elle existe.

—Je sais encore ce que j'ai vu. (Bekka prit le document des mains de Haylee et le tendit à Mélodie.) Tu as quarante-huit heures pour la trouver. En cas de défaillance, cette vidéo sera divulguée sur le Net comme celles de Paris Hilton.

Haylee lui présenta le stylo-bille rouge et argent.

—Je ne signerai pas ça, refusa Mélodie en reculant.

—Dans ce cas, je diffuse la vidéo immédiatement. À toi de choisir.

Mélodie prit le stylo et apposa sa signature en bas du document.

— Inscris aussi la date, exigea Haylee.

Cette fois-ci, Mélodie appuya si fort qu'elle transperça le papier.

Haylee tira un minuteur de couleur jaune de sa mallette et tourna le cadran à fond de façon à régler le décompte sur une heure.

« Tic-tac-tic-tac-tic-tac-tic-tac… »

— Encore quarante-sept tours et on revient te voir, dit Bekka.

Haylee ramassa son attaché-case et elles redescendirent les marches du perron vers la Cadillac de M. Madden.

« Tic-tac-tic-tac-tic-tac-tic-tac… »

La voiture s'éloigna, laissant à Mélodie une vue dégagée de la petite maison blanche de Jackson. La charmante façade lui rendit son regard avec la candeur d'un chiot plein de confiance – un chiot que Mélodie s'apprêtait pourtant à trahir.

CHAPITRE 25

TOI TU ME FAIS DE L'ÉLECTRICITÉ…

Frankie s'était avancée à la barre. Elle avait prêté serment. Elle était prête à témoigner.

Qu'est-ce que ça pouvait faire qu'elle étouffe de chaleur? que son maquillage ait fondu et que sa peau verte soit exposée à la vue de tous? que ses sutures lui fassent mal tellement elles étaient tendues? Rien de tout ça n'avait d'importance. Tout ce qui comptait, c'était de décliner distinctement son nom devant les RAD et les normies entassés dans la salle d'audience.

Elle demanderait pardon à ses parents d'avoir trahi leur confiance. De les avoir mis en porte-à-faux vis-à-vis des autres RAD et de ne pas avoir tenu compte de leurs avertissements. Elle dirait à Lala, Lagoona, Clawdeen et Cléo combien leur amitié comptait pour elle et qu'elle n'avait jamais eu l'intention de les mettre en danger. Elle dirait à Mme J combien elle appréciait ses conseils. Elle présenterait également ses excuses à Brett pour avoir perdu la tête et à Bekka pour avoir embrassé son petit ami. Elle remercierait Billy de l'avoir sauvée et Claude de l'avoir ramenée chez elle. Elle leur dirait à tous qu'elle ne méritait pas de seconde chance, mais que, s'ils lui en accordaient une, elle ne les laisserait plus jamais tomber.

Elle s'adresserait aux normies pour terminer, et leur demanderait de ne plus avoir peur des RAD ; de laisser son père faire profiter ouvertement le monde de son génie ; de reconnaître le sens du style fabuleux de ses amies dans leurs vêtements et leurs coiffures ; de les laisser sortir de l'ombre et vivre librement au grand jour…

Mais, lorsque vint le moment de parler, aucun mot intelligible ne franchit ses lèvres. Elle grinçait des dents, lançait des étincelles et marmonnait comme un zombie. Chaque fois qu'elle essayait de s'expliquer, les borborygmes qui sortaient de sa gorge devenaient plus stridents. Les femmes et les enfants se mirent à hurler. Les hommes grimpèrent sur les bancs et se mirent à taper des pieds pour l'effrayer. Mais ça ne servit à rien. La frustration qui montait en elle rendait ses grognements plus assourdissants, ses grincements de dents plus perçants et ses étincelles plus éblouissantes.

Une foule en colère finit par envahir la barre pour la mettre en pièces. Des segments corporels de couleur verte volèrent dans tous les sens. La douleur fut si violente qu'elle laissa échapper un hurlement suraigu capable de briser les verres et…

—Arghhhhhhhhhhhhhhhhhhhhhhhhhhhhhhhhhhhhhhhhhhh hhhhhhhhhhhhhhhhhhh !

—Réveille-toi ! Réveille-toi ! la secoua quelqu'un.

—Arghhhhhhhhhhhhhhhhhhhhhhhhhhhhhhhhhhhhhhhhhhh hhhhhhhhhhhhhhhhhhh !

—Tout va bien, ce n'est qu'un rêve. Réveille-toi !

Frankie battit des cils et ouvrit lentement les yeux. La pièce était sombre et silencieuse.

—Combien ? parvint-elle à articuler malgré sa gorge sèche.

—Combien de quoi ? lui demanda un garçon.

—Combien de tout ça… n'était qu'un rêve ?

Elle baissa les yeux. *Je porte vraiment une blouse d'hôpital ?*

—Tout.

Frankie s'assit d'un coup, sans prêter attention à sa tête qui tournait.

—C'était un rêve ?

—Oui, ma brune explosive, lui murmura-t-il tendrement. C'était un rêve.

—*Holt ?* (Frankie s'épongea le front. C'est qu'il faisait chaud sous ces couvertures électromagnétiques.) Est-ce que mes amies sont là ? Je dors depuis combien de temps ? (Elle fouilla sa chambre du regard pour y trouver des éléments de réponse. Rien n'était comme dans son souvenir. Son coin salon avait disparu. Les béchers et les éprouvettes étaient vides, on avait enlevé ses brosses, ses pinceaux à maquillage et son assortiment de gloss. Et les Glitterati avaient été débarrassés de leurs paillettes.) Où sont toutes mes affaires ? Qu'est-ce que tu fais ici ?

—Holà ! une chose à la fois, lui répondit-il. Un, tu as dormi neuf heures. Deux, tes amies ne sont pas là. Elles n'ont pas le droit de sortir de chez elles. Elles ont peut-être appelé, mais ton père t'a confisqué ton téléphone. Trois, tes parents ont mis toutes tes affaires dans des cartons parce que – ce sont leurs mots, pas les miens – tu es gâtée pourrie depuis trop longtemps et que ça va changer. Et quatre, je me suis fait ramener en voiture par Billy et Claude après ce bal minable. Quand ils t'ont déposée chez toi, je suis descendu aussi, je me suis caché et…

—Attends un peu! Le bal a vraiment eu lieu? (Les yeux de Frankie s'emplirent de larmes.) Je croyais que tu m'avais dit que tout ça n'était qu'un rêve.

—Pas cette partie-là, gloussa-t-il. Quand les gars m'ont dit ce que tu avais fait à ce normie, j'ai failli mouiller mon caleçon.

Il glissa ses doigts dans les mèches désordonnées de son front. Elles étaient trempées de sueur.

—Argh! (Frankie se laissa retomber sur son lit. Sa main se dirigea instinctivement vers les sutures de son cou, mais ne rencontra qu'une épaisse couche de gaze.) Qu'est-ce que je vais faire?

—À propos de quoi?

Holt lui caressa les cheveux. Elle émit quelques étincelles, lui arrachant un petit rire ravi.

—«*À propos de quoi?*» (Elle se rassit dans son lit.) Je viens de foutre en l'air la vie de tout le monde!

Les yeux noisette de Holt plongèrent dans les siens; ils étaient rieurs.

—Tu n'as foutu en l'air la vie de personne. Tu les as mis sur de nouveaux rails.

—Ben voyons.

—C'est la vérité! (Holt effleura l'écran de son iPhone.) Heureusement que tu es là pour mettre un peu d'animation.

Use Somebody, des Kings of Leon, déversa ses premières notes. Tel un chien qui profite du bon air à la fenêtre de la voiture par un beau dimanche ensoleillé, Holt ferma les yeux pendant la longue intro et fit courir ses doigts sur une guitare imaginaire. Quand le chanteur entama le couplet, il prit Frankie par la main pour l'aider à descendre de sa table. Il l'attira tout contre lui, posa sa joue contre la sienne et l'entraîna dans une danse au milieu du labo aseptisé et parfaitement ringard qu'était redevenu son Glamoratoire.

I've been roaming around…

Frankie songea à Lala, qui avait le béguin pour Holt.

— Qu'est-ce que tu fais ? demanda-t-elle avec un petit rire nerveux.

— J'essaie de te faire oublier Brett, lui murmura-t-il à l'oreille.

Elle lâcha une giclée d'étincelles.

Il sourit.

Ils passèrent en se balançant près de l'étagère où étaient rangés les béchers et les tubes à essai. Comme les récipients de verre semblaient tristes sans les produits colorés choisis avec amour dont Frankie les remplissait d'habitude. À eux aussi, elle avait fait du tort.

You know that I could use somebody, someone like you…

— Je ne suis qu'une idiote ! s'écria Frankie. Je me suis dit que, puisqu'il était branché sur les monstres, il m'aimerait forcément, se moqua-t-elle de sa propre naïveté. Je ne savais rien de lui. Je voulais juste quelqu'un qui ne me demanderait pas de me cacher.

— Tu l'as trouvé.

Frankie se décolla de lui pour le regarder dans les yeux.

— Pourquoi es-tu si gentil avec moi ?

— Parce que tu me plais, ma brune explosive. Tu me plais parce que tu n'as peur de rien et que tu y vas sans hésiter.

— Où ça ?

Frankie dégagea sa main et recula d'un pas pour le voir en entier.

— Chercher ce que tu veux.

Frankie passa une main dans son dos pour s'assurer que sa blouse d'hôpital était bien attachée.

— Ouais, mais ce que je veux, je ne peux pas l'avoir.

— Comme quoi ?

— Comme la liberté.

— Je t'aiderai à l'obtenir.

Il fit un petit pas vers elle.

— Pourquoi veux-tu m'aider ?

— Parce que tu me donnes envie d'écrire des chansons. (Il tendit la main vers un de ses boulons cervicaux, qui lança un éclair.) Et que tu me fais de l'électricité avec tes étincelles ?

Frankie pouffa.

— C'est ce qu'on appelle le coup de foudre.

— Frankie ? appela Viktor à voix basse depuis le couloir.

— Ou…

Holt lui mit une main sur la bouche et éteignit la musique.

— Fais semblant de dormir. Je vais me cacher.

Frankie retourna hâtivement dans son lit.

La porte de sa chambre s'entrouvrit doucement.

298

—Tu dors?

Frankie ne bougea pas un cil.

—On se croirait dans une étuve, ici, marmonna Viktor pour lui-même.

Quelques secondes plus tard, une grande bouffée d'air frais arriva en sifflant par les prises d'air.

Je t'aime, papa, songea Frankie pour elle-même. *Même si toi tu ne m'aimes plus.*

Ils restèrent immobiles et silencieux pendant encore cinq bonnes minutes pour être sûrs qu'il n'y avait plus de danger, mais Frankie était impatiente de revoir Holt. C'était comme un cadeau qu'elle n'avait pas encore ouvert. Elle voulait mieux le connaître. Partager avec lui ses rêves de changer le monde. Entendre les siens. Écouter sa musique. Et faire des étincelles.

—Il n'y a plus de danger, chuchota-t-elle dans l'obscurité. Tu peux sortir de ta cachette. (Silence.) Holt, sors maintenant! tenta-t-elle de nouveau. (Toujours rien. Frankie descendit de son lit et se glissa à pas de loup vers la table du microscope, sous laquelle il s'était dissimulé.) Tu peux sortir. (Il émergea lentement en se grattant la tête d'un air confus.) Où as-tu trouvé ces lunettes? gloussa Frankie.

—Chez Essilor, marmotta-t-il en chancelant.

Tu as sniffé du formol ou quoi? Frankie lui tendit la main.

—Tu veux que je t'aide à sortir?

—Oh, mince! dit-il une fois debout devant elle. Tu es cette fille-monstre à la peau verte qui était au bal, n'est-ce pas?

Frankie porta les mains à son ventre comme s'il venait de lui donner un coup de poing.

—Quoi?

—Qu'est-ce que je fais ici? (Il détailla les instruments étincelants autour de lui.) J'ai dit quelque chose que je pourrais regretter? Je suis ton prisonnier ou quoi?

—C'est une blague? s'exclama Frankie. (C'était la blague la plus cruelle qu'on pouvait imaginer.) Non, tu n'es pas mon prisonnier. Tu es libre de t'en aller quand tu veux.

Elle lui montra la fenêtre aux vitres dépolies qui éclairait autrefois son coin salon.

—Merci, dit-il en se dirigeant précipitamment dans cette direction.

—Tu vas vraiment partir? hoqueta Frankie. (Elle aurait tant voulu revenir cinq minutes en arrière.) Je croyais que je te plaisais.

Il s'arrêta et se retourna.

—Tu connais une fille qui s'appelle Mélodie Carver?

Frankie secoua la tête, même si elle la connaissait de vue.

—C'est une sorte de punition cruelle pour ce que j'ai fait ce soir?

—Je suis désolé, dit-il en se glissant par l'ouverture de la fenêtre.

—Ne t'en vas pas, alors, implora-t-elle comme la solitude commençait déjà à lui peser.

—Je dois y aller. Je suis vraiment désolé, s'excusa-t-il. Heureux de t'avoir rencontrée.

—Reste, supplia Frankie comme il s'éloignait en courant. Reste, répéta-t-elle, mais il était trop tard.

Il était parti.

CHAPITRE 26

CHAUD DEVANT !

Mélodie arpentait le grand porche devant chez elle en songeant à ces chiens mécaniques dont le vendeur avait fait une démonstration au centre commercial. Ils aboyaient, marchaient, s'asseyaient, tournaient et repartaient. Quand ils heurtaient le garde-fou sur le bord de la table, ils tombaient à la renverse et puis se remettaient sur leurs quatre pattes d'un petit bond, prêts à aboyer, marcher, s'asseoir, tourner et repartir encore une fois. Comme eux, Mélodie continuait à avancer sans jamais arriver nulle part.

Où était-elle censée aller, d'ailleurs ? Devait-elle perdre son temps à traquer un monstre qui n'existait pas ? réfléchir à un moyen de supprimer cette vidéo de l'iPhone de Bekka ? soudoyer Haylee ? se confier à Candace ? chercher Jackson ? repartir à Beverly Hills ? Elle était prête à passer à l'action. Oui, mais quelle action ?

Le battement régulier d'une paire de baskets sur le trottoir attira son attention. Une silhouette mince remontait la rue en courant et se dirigeait vers elle.

—Mélodie! appela le garçon.

—Jackson? (Elle se précipita à sa rencontre, animée par la force d'un millier de regrets.) Je suis tellement désolée! (Elle lui jeta les bras autour du cou, comme ça, en plein milieu de Radcliffe Way.) Je n'aurais jamais dû te laisser partir tout seul. Je ne savais plus où j'en étais. J'avais un choix à faire. Et c'est toi que j'ai choisi. Je veux dire, pour de bon. Et maintenant… (Mélodie relâcha son étreinte. Ses cheveux sentaient la sueur et l'ammoniaque.) D'où viens-tu?

—Jackson! (Mme J accourut de la petite maison blanche, en robe de chambre.) Dieu soit loué, tu n'as rien!

Mélodie scruta la rue sombre comme si elle cherchait quelque chose, incapable de croiser le regard de Mme J. Dans moins de quarante-sept heures, son fils serait exposé aux yeux de tous sous les traits d'un «monstre» et ce serait la faute de Mélodie. Quant à la parole qu'elle lui avait donnée, elle avait une durée de conservation plus courte que celle des sashimis.

—Salut, m'man. (Jackson la serra dans ses bras.) Tout va bien.

—Merci! (Mme J prit le visage de Mélodie entre ses mains et déposa un baiser sur son front.) Merci de l'avoir retrouvé. (Mélodie lui adressa un sourire forcé et baissa les yeux.) Rentre à la maison, dit-elle à son fils en le tirant par le bras. Tu sais combien c'est dangereux pour toi de traîner dans les rues ce soir?

—Maman, je suis avec Mélodie. Je ne traîne pas dans les rues.

—Au moins, ne restez pas dehors, se rendit-elle.

Jackson promit qu'il rentrerait bientôt, puis il prit la main de Mélodie pour la raccompagner chez elle.

—Depuis quand est-ce que ma mère et toi êtes en si bons termes? s'enquit-il.

Mélodie lui adressa un vague sourire pour toute réponse.

—Je crois qu'elle a raison et que tu ferais mieux de rentrer chez toi, dit-elle tandis qu'ils montaient les marches du perron.

—Pourquoi? (Jackson fronça les sourcils.) C'est à se demander lequel de nous deux a une double personnalité, toi ou moi?

—Hein?

—Que sont devenus tes: «C'est toi que j'ai choisi.» et tes: «Je n'aurais jamais dû te laisser partir.»?

Il s'installa sur la balancelle qu'il fit osciller avec nonchalance.

—Jackson. (Elle le poussa doucement.) Il se passe beaucoup de choses dont je ne peux pas te parler et...

—Oh! C'est pire que tout ce que tu sais sur moi?

Un point pour lui.

Le vent, qui soufflait toujours par rafales, fit bruisser les feuilles puis les réduisit au silence. On aurait dit qu'elles essayaient de dire quelque chose, mais qu'elles ne savaient pas comment s'y prendre. Mélodie partageait leur frustration.

—Une chose vraiment terrible est arrivée et c'est ma faute.

Le regard de Jackson se perdit de l'autre côté de la route.

—Deuce, soupira-t-il.

—Non! répondit-elle avec brusquerie, légèrement choquée.

Les épaules de Jackson se détendirent.

—Quoi, alors?

Mélodie respira un grand coup pour se donner du courage, mais les mots ne sortaient toujours pas. Et s'il la quittait? Elle n'aurait plus personne. Mais elle ne pouvait pas se taire. Et de toutes les façons, dans quarante-sept heures, il serait au courant...

Elle vint s'asseoir à côté de lui.

—Hum, bon. Tu sais...

Elle rassembla de nouveau son courage.

—Quoi ?

—Cette vidéo où tu te transformes en... tu sais qui ?

—Ouais.

—Eh bien... (Elle prit une dernière inspiration et débita d'une seule traite:) Bekka-l'-a-trouvée-dans-mon-téléphone-et-menace-de-la-diffuser-si-je-ne-retrouve-pas-le-monstre-vert-imaginaire-qui-a-embrassé-Brett.

Elle ferma les yeux très fort comme pour se préparer à recevoir une gifle.

Mais Jackson ne leva pas le petit doigt. Il ne bondit pas sur ses pieds pour arpenter le porche. Il ne se prit pas la tête entre les mains pour hurler au ciel sans étoiles : « Pourquoiii moiii ?!? » Il resta assis là. À se balancer mollement tout en considérant calmement la situation.

—Dis quelque chose.

Il se tourna vers elle.

—Je sais où elle est.

Mélodie lui donna un coup sur la rotule.

—Allez, c'est sérieux.

—Moi aussi, insista-t-il.

—Alors quoi ? Elle... existe vraiment ?

—Elle est tout ce qu'il y a de réel.

—Comment est-ce que tu la connais ?

— C'est Holt qui m'y a emmené. (Il sourit avec ironie.) Je crois qu'elle le branche bien.

— Non !

— Si !

— Non.

— Si.

— Non. C'est impossible.

— Oh si ! c'est tout à fait possible.

Jackson se mit à rire. Que pouvait-il faire d'autre ?

Mélodie se leva et se mit à faire les cent pas. Se trouvait-elle encore sur la table d'opération de son père et tout cela n'était-il qu'un rêve dû à l'anesthésie ?

— Donc, techniquement parlant, tu as une petite amie ?

— Je ne suis pas certain qu'ils en soient déjà là, mais elle a l'air bien accro elle aussi.

— D'accord. (Mélodie se calma.) C'est plutôt une bonne chose, non ? Tu vas m'amener là-bas. Je verrai ce qu'elle manigance et ensuite je la laisserai entre les mains de Bekka.

— Non, tu ne peux pas faire ça, dit Jackson.

— Et pourquoi pas ?

— Parce que Holt aime bien cette fille. Je ne peux pas lui faire ça… me faire ça, enfin bref… C'est un peu comme mon frère, en quelque sorte.

— Et tu te moques des conséquences que cela aura pour toi ? et pour ta mère ? et pour nous ? (La voix de Mélodie se mit à trembler.) Si Bekka montre cette vidéo à la police, ils te considéreront comme un monstre. Ils pourraient t'arrêter… ou même te faire quitter Salem.

—Je ne peux pas faire ça, Melly, dit-il doucement. C'est une gentille fille.

Que Jackson soit prêt à se sacrifier pour cette… créature renforça encore l'affection que Mélodie avait pour lui. Il avait du caractère. Du cœur. Des convictions. Il accordait manifestement de la valeur aux sentiments. Et il embrassait nettement mieux que Starbeurk. Mélodie n'avait pas besoin d'avoir un tableau de chasse aussi impressionnant que celui de Candace pour savoir que ces qualités étaient rares. C'est pourquoi elle avait bien l'intention de faire tout ce qui était en son pouvoir pour le sauver, y compris des choses que la morale réprouvait.

—Je comprends, dit-elle en posant une main sur son épaule. On va trouver une autre solution.

Il sourit en soupirant de soulagement.

—Merci.

—Hé! reprit Mélodie avec enthousiasme. Je connais une autre façon de récupérer cette vidéo. C'est dans ma chambre. Tu veux voir ce que c'est?

—Évidemment.

Jackson se leva. Il fourra les mains au fond de ses poches et monta les marches de bois inégales derrière Mélodie. Il la suivit dans sa chambre.

—Chut, dit-elle, un doigt devant les lèvres. Tout le monde dort. (Elle referma la porte derrière eux.) Voyons voir où j'ai mis ces notes.

Elle farfouilla dans quelques caisses.

—Des notes?

Jackson se dandinait d'un pied sur l'autre et semblait mal à l'aise.

—Je sais que je les ai cachées par là. Je ne peux rien laisser traîner avec Candace dans les parages. Elle fourre toujours son nez partout.

—Hé! ça ne te gêne pas si je branche le ventilateur? demanda Jackson en plongeant sous la mezzanine.

—Pourquoi? Tu trouves qu'il fait trop chaud?

—Un peu.

—Je crois qu'il est dans la chambre de Candace.

—Non, le voilà.

Il saisit la prise et s'apprêtait à la brancher.

—Arrête! (Mélodie se jeta sur lui et lui arracha la prise des mains.) J'aime la chaleur.

—Mais là, c'est plus de la chaleur… c'est un vrai four, dit-il. (Il leva les yeux sur elle et la dévisagea quelques instants. Il eut un sursaut de compréhension.) Non. Oublie ça! Tu ne peux pas me faire ça. C'est une mauvaise idée!

Il voulut reprendre le cordon électrique, mais Mélodie le tira hors de sa portée.

Le front de Jackson commençait à se perler de sueur.

—Je fais ça pour t'aider.

—Ce n'est pas le bon moyen.

Il s'épongea le front.

—C'est le seul moyen!

Se souvenant de la couverture de survie, Mélodie tira la couette lavande de son lit et la lui jeta sur la tête.

Plus que quelques secondes…

—Mélodie, arrête !

Il donna des coups de poing pour se débarrasser du tissu, mais Mélodie le maintint en place avec ses bras.

—Tu me remercieras.

—Tu vas m'étouffer !

—Je vais te sauver ! (Il cessa de lutter.) Jackson ? (Pas un bruit.) Jackson ? (Silence.) Jackson ? Oh, mon Dieu ! faites qu'il ne soit pas mort !

Elle retira vivement la couette.

Il avait perdu ses lunettes. Ses cheveux étaient trempés de sueur et ses joues enflammées.

—Encore toi ? s'étonna-t-il.

—Salut, Holt, fit Mélodie avec un grand sourire. Envie d'aller voir ta brune explosive ?

CHAPITRE 27

L'UNION FAIT LA FORCE

Un caillou rebondit contre la fenêtre de verre dépoli.

Puis un autre. « Ting. »

Frankie roula sur le dos.

Encore un autre. « Ting. »

On aurait dit le tambourinement impatient des doigts d'une femme sur un plan de travail. C'était peut-être la foule en colère de ses rêves qui venait mettre fin à ses souffrances une bonne fois pour toutes.

Elle roula sur le ventre. Les paroles de la chanson d'Alicia Keys *Try Sleeping With a Broken Heart*, tournaient en boucle dans sa tête. Frankie avait envie de se camper sur son lit de métal et de crier : « C'est ce que j'essaie de faire, mais je n'y arrive pas parce que je n'arrête pas de penser à Brett, à Holt, à mes amis, à ma famille et à tous ces gens à qui je fais peur, alors est-ce que tu pourrais la mettre en sourdine, s'il te plaît ? » Mais elle ne voulait pas réveiller ses parents. Le soleil se lèverait d'ici à une heure et ils l'imiteraient peu de temps après.

Et alors quoi ?

Roulant de nouveau sur le dos, elle se demanda combien de temps elle pourrait encore les éviter en faisant semblant de dormir. Un jour ? une semaine ? dix ans ? S'il fallait en arriver là, elle en avait pris son parti. La honte était un sentiment insoutenable, mais qui exigeait la présence d'autrui pour perdurer. Quelqu'un qui ferait « tss-tss » en secouant la tête et lui débiterait tout ce en quoi elle l'avait déçu. Sans personne pour lui adresser ces reproches, la honte se réduisait à un sentiment de culpabilité. Qui, pour être horriblement inconfortable, était une punition plus facile à supporter parce que c'était elle seule qui se l'imposait. Et pouvait donc aussi se l'épargner.

—Ma brune explosive ? (Frankie se redressa lentement dans son lit, incertaine de pouvoir se fier à ses oreilles. Après tout, elles étaient commandées par son cerveau, qui avait fait la preuve qu'il était sujet à caution.) Ma brune explosive ! Ouvre la fenêtre !

Holt est revenu !

Frankie envisagea un instant de se faire désirer en lui faisant croire qu'elle était partie. C'est ce que faisaient les filles dans les films. Sauf qu'elle était consignée chez elle. Où aurait-elle bien pu aller ? Dans la cuisine, peut-être ?

—Chut, siffla-t-elle en dissimulant hâtivement sa disgracieuse blouse d'hôpital sous son peignoir de satin noir Harajuku Lovers.

Frankie ouvrit la fenêtre, et Holt se faufila tant bien que mal à l'intérieur comme un gros chien par une chatière. Son apparition éclaira d'un néon aux couleurs de l'arc-en-ciel sa journée tumultueuse. Ce qui était très étrange puisque seulement dix heures plus tôt elle ne pensait qu'à Brett. Ou alors, elle était déjà amoureuse de Holt, mais ne le savait pas encore.

— Qu'est-ce qui t'a pris ? Pourquoi as-tu filé comme un… (Frankie s'interrompit alors qu'une seconde silhouette se glissait par la fenêtre. Elle avait des cheveux noirs et brillants, des vêtements noirs et un petit nez parfait.) Chut, siffla de nouveau Frankie.

— Oh, mon Dieu, c'est toi ! s'exclama Mélodie avec stupéfaction. Et tu as vraiment la peau ver…

— Qu'est-ce que cette fille fait ici ?

Frankie était déchirée entre la confusion et la colère.

— J'en sais rien. (Holt fit tourner son index sur sa tempe, roula des yeux et chuchota :) Je crois qu'elle est folle de moi. Complètement obsédée.

— Waouh ! (Mélodie explora la pièce plus avant.) C'est quoi, cet endroit ? (Elle montra la cage de verre près du lit de Frankie.) Euh… ce sont des rats ?

— Sans rire, pourquoi elle est là ? répéta Frankie sèchement.

Holt colla ses lèvres contre son oreille.

— Elle me suit comme mon ombre ces derniers temps. Je crois que je vais demander une injonction d'éloignement. (Son souffle chaud contre son cou provoqua un bouquet d'étincelles dans les deux mains de Frankie.) Ah ! ça commençait à me manquer !

Holt l'attira vers lui et la prit dans ses bras.

— C'est quoi cette table ? et ces fils de cuivre ? et cet interrupteur « haute tension » ? demanda Mélodie, bouche bée. On est où, ici ?

— Pourquoi tu as eu ce comportement bizarre tout à l'heure ? demanda Frankie à Holt. (Elle le repoussa, avide d'obtenir des réponses.) Pourquoi tu es parti comme ça ? Pourquoi…

— Tu es quoi ? Genre, la fille de Frankenstein ou un truc comme ça ? ricana Mélodie.

— Sa petite-fille, si tu tiens à le savoir, riposta vivement Frankie. Et si tu continues à m'interrompre, je t'envoie une décharge électrique, comme l'autre fois à la cafète.

Mélodie s'approcha d'elle.

— Mais ta peau était…

Frankie planta ses mains sur ses hanches et la fusilla du regard.

— Blanche ? (Mélodie acquiesça.) Ouais, eh bien figure-toi que les gens ne sont pas aussi prompts à passer au vert qu'ils veulent bien le dire, renifla Frankie.

— Je te trouve fabuleuse comme ça. (Mélodie s'approcha un peu plus et fit mine de prendre la main de Frankie.) Je peux ?

Frankie haussa les épaules avec détachement.

— Si tu veux.

— Tu vas m'envoyer une décharge ? la taquina Mélodie.

— Peut-être.

Mélodie plongea gravement ses yeux gris dans ceux de Frankie pour essayer d'y lire ses véritables intentions. Quoi qu'il en soit, Mélodie lui prit la main. Elle ne semblait pas effrayée de faire courir un doigt sur les sutures du poignet de Frankie. Ou, si elle avait peur, elle le faisait quand même, et Frankie respectait ce courage.

— Tu veux toucher ma peau ? demanda Mélodie, comme si elle aussi était un monstre.

Frankie hocha la tête.

— C'est comme la mienne, en plus froid.

— Ouais. (Mélodie leva les yeux au ciel.) J'ai toujours froid.

— Ah bon ? Et moi, j'ai toujours chaud. Je suppose que c'est parce que je suis chargée d'électricité.

— Attends un peu. (Mélodie pencha la tête sur le côté.) Tu dois vraiment te charger ? Comment tu fais ?

— Hé ! coucou les filles. (Holt se montra du doigt.) Il y a un beau gosse dans la salle !

Mélodie pouffa. Frankie avait d'autres préoccupations plus urgentes. Dehors, la luminosité de l'aube qui approchait commençait à éclaircir le blanc laiteux des vitres dépolies, sans permettre encore de distinguer clairement les choses. Ce que voyait Frankie – un kaléidoscope de formes floues et d'ombres mouvantes – lui rappelait l'heure qui tournait. Le temps des visites serait bientôt terminé.

— Alors, tu vas me dire ce qui t'a pris tout à l'heure ? demanda-t-elle à Holt, revenant à ses affaires. Tu t'es conduit comme si tu ne me connaissais pas et tu as filé sans demander ton reste. Pourquoi as-tu fait ça ?

— Je crois que je peux te l'expliquer.

Redevenue une étrangère, Mélodie gesticulait maladroitement.

— C'est vraiment du harcèlement…, marmonna Holt. Elle a toujours une explication pour tout.

Frankie chercha un endroit où s'asseoir, maintenant qu'elle n'avait plus son coin salon, mais elle abandonna rapidement une fois que Mélodie eut commencé.

Tandis que le soleil poursuivait son ascension dans le ciel et égrenait le compte à rebours, la normie parla des sentiments qu'elle éprouvait pour Jackson Jekyll, des problèmes qu'il rencontrait quand il avait trop chaud, de sa mère, qui n'était autre que Mme J, la prof de sciences, de son aïeul au cerveau dérangé et expliqua comment la conjugaison de la chaleur et de la folie de cet aïeul donnait naissance à Holt Hyde.

Elle parla ensuite de Bekka, de sa jalousie, de Brett, de leur baiser, de la tête de Frankie qui s'était décrochée, de la vidéo de Jackson, du chantage de Bekka pour qu'elle lui livre Frankie, de son ultimatum de quarante-huit heures – qui devait approcher maintenant de quarante-six – et conclut en disant qu'elle ne savait pas quoi faire.

— Voyons voir si j'ai bien compris, intervint Holt avec un grand sourire avant que Frankie ait pu dire quoi que ce soit. Je sors avec vous deux ?

— Techniquement parlant, on peut dire ça, soupira Mélodie.

— *Yes !*

Holt tapa dans sa propre main.

Frankie toucha la poche arrière de son jean. Le contact produisit une sorte de grésillement et un arc lumineux.

— Aïe ! hurla Holt en se tenant les fesses.

— Chut, fit Frankie en lui mettant une main sur la bouche.

— Hé ! ça fait mal ! marmonna-t-il à travers ses doigts.

— C'était le but. (Frankie se recula.) Au cas où tu n'aurais pas bien entendu, il n'y a pas de bonne nouvelle dans ce qu'elle vient de dire. Absolument aucune !

— Très bien.

Il s'éloigna en secouant l'arrière de son jean pour s'éventer.

— Tu vas me livrer à Bekka, alors ? demanda Frankie d'une voix tremblante.

— Ben… (Mélodie soupira.) C'était l'idée, au départ… Je suppose… mais… (Elle soupira de plus belle.)… je ne sais pas trop quoi faire. Je ne veux pas te faire de mal.

— Pourquoi pas ? (Frankie baissa les yeux. Une larme tomba sur son peignoir et roula sur le satin noir.) Ça ne gêne pas les autres.

Mélodie eut l'air de réfléchir à la question.

— Je crois que je sais ce que tu ressens.

— Attends… (Frankie releva la tête.) Tu es une RAD ?

— C'est quoi, les RAD ?

— C'est un euphémisme de bienséance pour désigner les « monstres », expliqua Frankie. Ça veut dire Résistants à l'Apparence Dominante.

— C'est ce que j'étais, mais j'ai en quelque sorte cessé de résister, dit Mélodie avec un petit sourire nostalgique, comme pour faire ses adieux à un souvenir qui s'estompait. (Pour une raison quelconque, elle désignait son nez.) Parfois, je le regrette.

— Pourquoi ? s'étonna Frankie, incapable de concevoir que quelqu'un puisse désirer connaître ce qu'elle endurait en ce moment.

— Parce que, lorsque tu es différente et que les gens t'aiment quand même, tu sais que c'est pour les bonnes raisons. Et pas parce qu'ils te prennent pour une Bombe Anatomique qui pourrait leur piquer leur petit ami.

— Qu'est-ce que tu veux dire ?

Frankie sécha ses larmes avec la manche de son peignoir.

—Je veux dire que je suis de ton côté. (Mélodie lui adressa un sourire nerveux, mais tout à fait charmant.) Je refuse de céder à l'intimidation. Je veux me battre. Je veux que les gens cessent d'avoir peur de leurs différences. Je veux que les gens comme Jackson… et comme toi…

—Et comme moi, ajouta Holt.

—… et comme Holt puissent vivre normalement.

—Qu'est-ce qu'on doit faire ? demanda Frankie.

Ses doigts cherchèrent les sutures de son cou, mais ne trouvèrent que de la gaze.

—La première chose à faire est de récupérer cette vidéo, dit Mélodie.

—Comment faire ? Je suis consignée dans cette pièce, disons, pour toujours, alors…

Le prononcer à haute voix rendait la chose très concrète.

—Je ne sais pas, admit Mélodie. Mais je sais que nous devons nous serrer les coudes, que nous ne pouvons pas nous faire prendre et que nous avons deux jours pour y arriver.

—Oh, voltage ! soupira Frankie avec désespoir.

Mélodie tendit sa main droite à Frankie.

—Tu es avec moi ?

—Je suis avec toi, répondit Frankie en acceptant la main tendue.

—Ce ne sera pas facile, la prévint Mélodie.

—Mais si, intervint Holt en soulevant amoureusement deux des Glitterati de leur cage. (Il prit un rat dans chaque main comme pour les soupeser, et finit par les embrasser tous les deux.) Le plus dur sera de décider laquelle des deux restera avec moi quand tout sera terminé.

Frankie lâcha une bordée d'étincelles, mais Mélodie ne retira pas sa main. Frankie non plus. Elles scellaient ainsi leur alliance dans la bataille qui les attendait au nom de la tolérance et de l'acceptation… et se déclaraient la guerre pour la conquête de l'amour.

Remerciements

Un grand merci à Barry Waldo, Cindy Ledermann et à mon éditrice Erin Stein (qui n'est pas de la famille de Frankie) pour la confiance qu'ils m'ont accordée. Vous avez tous été hyper voltage !

Et, si je ne suis pas tombée en RADe pendant l'écriture de *Monster High*, c'est grâce au soutien des personnes suivantes : Kevin Harrison, Luke et Jess, Alex Kohner, Logan Claire, Jim Kiick, Hallie Jones, Jocy Orozco, Shalia Gottlieb, Ken Gottlieb… sans oublier bien sûr les livraisons à domicile de Coca light et de chewing-gums.

Lisi, terminé.

Ne manquez pas
le prochain tome de

Sortie : été 2011 !

CPi

AUBIN IMPRIMEUR

Achevé d'imprimer en février 2011
N° d'impression L 74253
Dépôt légal, mars 2011
Imprimé en France
36231011-1